싸우지 말라고 하지 마세요

싸우지 말라고 하지 마세요

이다랑 지음

우리 아이 사회성 솔루션

J 포럼

| 일러두기 |

아이의 연령은 만 나이로 표기하였다.

프롤로그

아이마다 필요한 사회성 모습이 다릅니다

옆에 누워 재워주지 않으면 혼자 잠드는 것을 어려워했던 아이가 스스로 잠든 날이 기억납니다. 어제까지는 나의 도움이 필요했지만, 오늘은 필요하지 않은 아이가 왠지 낯설게 느껴졌습니다. '성장'은 이렇게 불쑥 찾아오는 건가 싶었어요. 자는 아이를 보며 아이를 기른다는 것은 어떤 의미인지, 나는 아이를 위해 무엇을 해야 하는 건지 꽤나 심오한 생각을 하던 밤이었지요.

이제 사춘기 냄새가 폴폴 나기 시작한 아이를 지금까지 키우며, 그리고 지난 십여 년간 수많은 부모님들의 이야기를 들으며, 결국 부모의 역할에는 한계가 있고 끝이 있다는 것을 깨달았습니다. 아이는 계속 자랍니다. 그리고 결국 우리를 떠나야 합니다. 부모의 역할은 아이가 자신의 세상에서 짐을 풀고 정착하며 살아갈 수 있도록 딱 독립의 지점까지 데려다주는 것입니다. 이후의 삶은 아이의 몫이어야 합니다. 도착 지점에 닿을 때까지 아이를 충분히 지지하고 필요한 것을 배우도록 해줘야 아이는 심리적으로 안정적인 독립을 할 수 있습니다. 반면 부모의 역할이 어디까지인지 생각하지 않고 마냥 아이를 좇아가기만 하면, 아이는 자신만의 세상을 살아가는 데 실패하게 되지요.

'독립'이라는 목표 지점을 향해 가는 과정에서 부모는 아이에게 어떤 도움을 주어야 할까요? 아이가 스스로 살아갈 세상을 게임에 비유한다면, 게임이 본격적으로 시작되기 전 부모가 아이의 손에 최종적으로 쥐여줄 수 있는 가장 큰 아이템은 바로 '사회성'이라고 생각합니다. 아이는 결국 누군가와 함께 일하고 함께 살아가야 합니다. 타인과의 관계에서 안정감과 사랑, 성취감을 느껴야 하고 좌절과 슬픔, 죄책감을 극복해야 합니다. 부모는 그 과정을 끝까지 함께할 수 없으며, 무엇보다 부모만으로는 충분하지 않습니다.

사회성이 높은 사람은 삶에서 더 많은 기회를 얻고, 문제를 해결하는 과정에서 만족과 성취감을 느낍니다. 타인과 안정적인 관계를 맺을 수 있는 힘은 삶을 더욱 풍요롭게 만들어주고 정서적인 안정에도 기여합니다. 아이의 사회성을 잘 길러주는 것은 부모가 미처 영향을 미칠 수 없는, 이후의 삶에서 행복과 안정감을 높이는 데 큰 도움이 되지요. 이것이 부모가 아이에게 '사회성'이라는 선물을 꼭 주어야 하는 이유이기도 합니다.

하지만 많은 양육자들이 아직 사회성을 중요하게 생각하지 않거나 사회성을 잘못 이해하여 접근하는 모습을 자주 봅니다. 인지발달, 학습 등이 중요해지고, 갈등 상황을 최대한 피하려고 하다 보니 아이가 자연스럽게 사회성을 배우는 기회 자체가 적어집니다. 사회성을 고민한다고 하지만 결국 아이의 외국어 공부와 학습에 돈과 시간, 관심을 쏟다가 청소년기에 뒤늦게 아이의 대인관계와 자존감에 문제가 생겨 찾아오는 분도 많습니다. 물론 학습도 중요합니다. 하지만 결국 아이가 잘 배운 것을 사회에서 잘 쓰기 위해서는 아이가 세상과 잘 살아가는 방법을 먼저 배워야 한다는 것을 기억했으면 합니다.

이 책은 많은 부모님들이 사회성의 본질과 중요성, 그리고 아이의 기질적인 특성에 따라 다르게 가르쳐야 하는 사회성의 포인트를 알리기 위해 쓴 글을 묶은 것입니다. 아이가 삶을 행복하고 풍요롭게 살아가길 원하는 부모님들에게 '아이의 사회성 발달'을 어떻게 시작해야 하는지 알려주는 다정한 가이드가 되었으면 합니다. 모든 아이의 사회성이 잘 자라나서, 우리의 아이들이 살아갈 앞으로의 세상은 지금보다 조금 더 좋아졌으면 합니다. 아이들이 정말 행복하게 살아가길 바랍니다.

그로잉맘 이다랑

차례

01

아이의 사회성에 대한 오해와 진실

사회성은 문제가 없는 게 아니라 문제를 해결하는 힘

"올해 6세가 된 아이는 놀이터에 가는 것을 제일 좋아합니다. 하지만 막상 놀이터에 가면 또래와 놀이를 거의 하지 못해요. 그렇다고 혼자 노는 것을 즐기는 게 아닙니다. 함께 놀고 싶어서 또래 주변을 서성이다가 혼자 그네를 타는 것을 보면 엄마로서 너무 속상합니다. 이제 곧 학교도 가야 하는데, 사회성에 문제가 있는 건 아닌지, 또래 관계에서 너무 밀리는 것은 아닌지 걱정이에요. 아이를 어떻게 도와줘야 하는 걸까요?"

"선생님, 아이가 놀이터에서 신나게 놀다가도 자꾸 다른 아이들과 부딪혀요. 아이가 욕심도 많고 고집이 센 편이라 다른 아이들을 자기 마음대로 쥐고 가려다가 안 되면 떼를 쓰고 꼬집기도 하거든요. 동생 때문에 욕구불만이라 저러나 싶다가도, 다른 부모님들 보기 민망해서 내보내지 말아야 하나 싶어요."

사회성이란 무엇일까?

두 고민 모두 공통점이 있습니다. 첫 번째는 '놀이터'에서 일어난 일이라는 것, 두 번째는 두 고민 모두 아이의 '사회성'에 대해 고민이라는 점이지요. 한 아이는 다른 아이와 싸우지는 않지만 또래와 잘 어울리지 못하고, 또 다른 아이는 적극적이지만 자기 의견을 너무 내세워 다툼을 만듭니다. 두 아이 모두 사회성이 좋다고 말하기는 어렵지요. 사회성은 타인과 문제를 일으키지 않고 평화롭게 잘 지내는 것만 의미하지는 않으니까요.

저는 영유아부터 대학생까지 다양한 나이의 아이들과 부모님을 상담해왔습니다. 영유아를 키우는 부모님은 아이의 기관 적응, 문제행동, 생활 습관 그리고 부모의 양육 스트레스를 주로 호소합니다. 아이가 조금 더 자라 학령기가 되면 아이의 성격, 아이와의 갈등, 학업 습관, 진로 등을 고민하게 되지요. 심지어 그 아이들이 자라 어른이 되어 상담하게 되면 이성 관계, 진로와 취업, 직장생활에서 생기는 관계 고민을 호소합니다.

언뜻 보면 각기 다른 고민 같지만, 자세히 살펴보면 모든 고민은 공통점이 있습니다. 바로 '어떻게 타인과 관계를 맺으며 잘 살아나갈 것인가'라는 문제입니다. 아이의 연령이나 특성, 공부를 잘하고 못하고 등과 상관없습니다. 결국 부모의 고민은 한 가지입니다. '아이가 독립적으로 잘 자라서 타인 그리고 세상과 건강한 관계를 맺으며 살아갈 수 있는가?' 이것을 우리는 흔히 '사회성'이라고 말하지요. 배변이나 수면 교육 같은 것은 특정 연령대가 지나가면 사라지거나 마무리되지만, 사회성은 다릅니다. 아이의 생애주기에 따라 끝없이 이어집니다. 특히 아이가 처음 기관에 들어가거나 외부 사람과 관계를 만들어 가는 시기에는 모든 것이 고민이라고 해도 과언이 아닙니다. 어떤 아이는 친구를 밀치고 때려서, 어떤 아이는 혼자 놀아서, 어떤 아이는 친구에게 양보만 해서 양육자의 근심이 깊어집니다. 특히 부모가 개입할 수 없는 또래 집단에서 벌어지는 일이기 때문에 사회성 문제는 더 어렵게 느껴집니다.

영유아부터 청소년까지 사회성이 걱정인 이유

양육자의 고민에서 사회성 발달이 빠지지 않는 이유는 무엇일까요? 크게 두 가지 이유가 있습니다.

첫 번째는 양육의 최종 목표가 사회성과 맞닿아 있기 때문입니다. 아이를 잘 키운다는 것은 무엇일까요? 사회의 올바른 구성원으로 성장시키는 것이지요. 모든 양육자는 아이가 내적으로도 건강하고, 사회적으로도 제 역할을 충분히 해내는 독립적인 인격체로 자라나길 바랍니다. 아이가 다른 사람과 함께 있을 때 잘못된 행동을 하면 더 엄격하게 훈육하게 되는 것도 이와 무관하지 않습니다. 하지만 아이의 사회성에 대한 정확한 특징과 발달 단계를 알지 못하면, 이를 가르쳐줄 수 있는 적절한 시기를 놓쳐버리거나 방법을 몰라 헤매는 경우가 많죠.

두 번째 이유는 사회성이 궁극적으로 아이의 자존감과 연결되기 때문입니다. 아이들은 자신에 대해 스스로 인지하고 평가하지 않습니다. 다른 사람과 상호작용을 하면서 '나는 어떤 사람일까?'에 대한 답을 찾아나가지요. 사회적인 상황에서 문제를 해결하고 성공하는 경험을 많이 할수록 아이의 마음속에 '나'에 대한 긍정적인 감정이 쌓이게 되죠. 이는 한순간의 경험으로 완성되는 것이 아니기에 전 연령에 걸쳐 끊임없이 풀어가야 할 숙제가 되는 겁니다. 적절한 시기에 사회성 발달이 잘 이루어지지 않으면, 아이는 삶에서 지속적으로 관계에 대해 고민하며 살아가게 될 가능성이 높습니다.

사회성에 대한 다섯 가지 진실

아이의 사회성 발달에 대해 부모님들이 오해하거나 잘못 생각하고 있는 부분이 있습니다. 아이의 사회성 발달을 위해서는 이 부분에 대해 이해를 바로 하는 것이 가장 중요합니다.

1. 왜 우리 아이만 사회성이 부족할까?

첫 번째 잘못은 특정 상황만 보고 우리 아이가 사회성이 부족하다고 느끼고 초조해하는 것이에요. 부모는 자신의 아이를 객관적으로 보기 어렵고, 대부분 다른 아이들을 다양하게 만나는 경우도 별로 없지요. 그러다 보니 특정 상황에서 내 아이가 하는 행동과 반응만 보고 아이의 사회성을 지나치게 걱정하는 경우가 종종 있습니다.

예를 들어, 두 고민의 배경인 '놀이터'는 다양한 연령의 다양한 특성을 가진 불특정 다수의 아이가 모이는 곳입니다. 부모는 다른 아이들이 어떤 특성이 있는지, 그 아이들끼리 이미 맺고 있는 관계에 대한 배경지식이 없지요. 그런 상황에서 덩그러니 들어간 내 아이가 잘 어울리지 못하거나 갈등의 중심이 되면 무척 당황하고 걱정을 합니다.

하지만 우리 아이만 사회성이 부족한 게 아닙니다. 놀이터에서 노는 또래의 아이들은 전반적으로 사회성이 부족하기에 누구나 걱정스러운 행동을 할 수 있습니다. 아이마다 특성이 다르므로 친화력에 있어 차이가 있을 수는 있지만, 그렇게 일시적으로 보이는 부분이 전부는 아닙니다. 따라서 내 아이가 너무 사회성이 낮은 것 같다고 과도하게 걱정하기보다는, 아이를 만나는 다양한 사람들의 이야기를 들어보고 아이와 가까이 지내는 또래 아이들의 특성도 잘 살펴보는 것이 좋습니다.

2. 친구를 빨리 사귀면 사회성이 좋은 걸까?

두 번째 오해는 아이의 사교성이 좋으면 사회성이 좋다고 생각하는 것입니다. 사회성은 사교성이 아니라는 것을 잘 알면서도, 많은 부모님이 이 부분을 자주 잊은 채 아이의 사회성을 판단하는 경우가 많습니다. 그래서 아이가 다른 사람들에게 관심이 많고 친절을 베풀면 사회성이 좋다고 자연스럽게 생각합니다. 아이가 수줍음이 많거나 다른 사람과 어울리기보다는 자신이 좋아하는 것에 혼자 몰두하는 모습을 자주 보이면 사회성이 부족하다고 걱정하고요.

하지만 사회성은 단순히 아이가 다른 사람들과 얼마나 쉽게 친해지는가를 의미하는 것이 아닙니다. 앞서 설명한 것처럼 사회성이란 내가 독립적인 존재로 잘 성장하고 다른 사람과, 세상과 건강한 관계를 맺으며 살아가는 능력입니다. 그렇기에 사교성이 좋고 친화력이 좋다고 해서 무조건 사회성이 좋다고 오해하면 안 됩니다. 아이는 사회성 발달을 위해 중요한 것을 배우고 연습해야 하는데 안심했다가 그 부분을 놓칠 수 있기 때문입니다. 예를 들어 친구에게 먼저 다가가 인사도 잘 하고 친구도 금방 많이 사귀는 아이가 있습니다. 유치원 담임 선생님도 아이가 사교성이 좋은 것을 사회성이 좋다고 표현할 수 있고, 부모 또한 그렇게 생각하며 다행이라고 생각할 수 있습니다. 그런데 어쩌면 이 아이는 다른 사람과 잘 친해지는 능력은 가지고 있지만, 이 관계를 잘 유지하며 이어나가는 힘은 없을 수 있습니다. 작은 오해도 스스로 풀지 못하거나, 친한 관계가 끊어지는 것이 싫어서 친구들에게 끌려가는 모습을 보일 수도 있지요. 만약 그렇다면 아이의 겉 행동만 보고 사회성이 좋다고 안심해서는 안 됩니다. 아이가 잘 시작한 관계를 이어가며 다양한 오해나 갈등도 해결하고 자기주장을 할 수 있도록 도와주어야 하는 것이지요.

3. 시간이 간다고 사회성이 저절로 생기지 않는다

세 번째 오해는 사회성은 가만히 두어도 시간이 지나면 다 발달하게 되어 있다고 생각하는 것입니다. "그냥 두면 다 좋아진다"라고 이야기하는 분들이 있습니다. 하지만 사회성은 그냥 나이가 들면서 저절로 좋아지는 영역이 아닙니다. 만약 저절로 좋아지는 부분이라면 나이가 많은 어른은 모두 사회성이 좋아야겠지요? 하지만 실제로는 그렇지 않습니다. 사회성은 적극적으로 경험하고 부딪히며 배워야 하는 영역입니다. 아이가 상황에 맞게 감정을 잘 표현하고 문제를 해결하는 것을 배우려면 적극적인 노력이 필요합니다. 많이 연습해야 하고요.

무엇보다도 아이마다 타고난 개개인의 특성이 다르므로 건강한 사회성을 발달시키기 위해서는 좀 더 신경 써서 성장시켜야 하는 부분도 다 다르다는 것을 꼭 기억해주세요. 어떤 아이는 양보하는 것을 좀 더 배워야 하고, 어떤 아이는 자신의 감정을 인지하고 조절하는 것을 배워야 합니다. 공감하는 것을 배워야 하는 아이도 있겠지요. 예를 들면 다른 사람의 감정을 민감하게 알아차리지 못하는 아이들이 종종 있습니다. 다른 사람과 원만한 관계를 맺기 위해 이 상황에서 다른 사람이 어떻게 느낄 수 있는지 생각해보고, 상황에 맞게 '미안해' '고마워'와 같은 적절한 말을 할 수 있도록 배우고 연습해야 하는 것입니다.

4. "친구와 싸우지 마", 사회성 발달에 부정적인 말

네 번째는 사회성을 높이기 위해서는 '친구와 갈등을 만들지 않고 사이좋게 지내야 한다'라고 생각하는 것입니다. 또래와 관계에서 아무 문제도 생기지 않으면 사회성이 좋은 것일까요? 이런 생각을 의식적으로 하지는 않아도, "또래 친구들과 싸우지 않고 잘 지낸다"라는 말을 들으면 '우리 아이가 사회성이 나쁘지 않구나' 안심하는 것이 보통이지요.

하지만 사회성이 잘 발달했는지를 확인하려면 '갈등'이 있는 상황을 보아야 합니다. 앞서 사회성은 단순히 관계를 잘 시작하는 것으로 충분하지 않고 잘 유지하는 과정이 중요하다고 이야기한 바 있습니다. 관계를 잘 유지하기 위해서는 또래와의 관계에서 발생하는 갈등을 잘 '해결'하는 힘이 필요합니다. 내가 하고 싶은 것과 친구가 하고 싶은 것이 다를 때 무조건 갈등을 피하고자 원하는 것을 포기하고 맞추는 것은 문제를 해결했다고 보기 어렵습니다. 갈등을 피한 것뿐이지요. "친구와 항상 사이좋게 지내야 한다"라는 메시지도 적절하지 않을 수 있습니다. 아이가 친구와 싸울 수도 있고, 싸우고 난 뒤 화해하는 방법도 배워야 하니까요. 특히 언제나 친구에게 협조하는 쪽을 택하는 아이는 더욱 잘 살펴보아야 합니다. '다른 사람과 함께하는 것'은 잘하지만 '내가 원하는 것'이 빠져 있기 때문입니다. 이런 아이들은 얼핏 보면 사회성이 좋은 것처럼 느껴지기에 내가 원하는 것을 다른 사람과 어떻게 함께해야 하는지 배울 기회를 놓치는 경우가 많습니다. 무조건 양보하는 게 좋은 게 아닙니다. 자신이 원하는 것을 이야기할 수 있어야 합니다.

건강한 사회성의 진정한 의미는 내가 원하는 것을 어떻게 하면 친구가 원하는 것과 함께할 수 있을지 방법을 찾아가는 과정을 포함합니다. 싸우기도 하고, 서로의 의견을 마음껏 주장하면서 순서를 정하고 사과하는 모든 과정에서 하는 행동이 아이의 사회성 정도를 보여주지요. 그래서 갈등이 없는 것은 좋은 사회성이 아닙니다. 갈등을 잘 풀어가는 '문제 해결력'이 사회성인 것입니다.

5. 사회성은 사회보다 '여기'에서 배운다

사회성에 대한 마지막 오해는, 사회성은 부모가 아닌 다른 관계를 통해 더 많이 배울 수 있다는 생각입니다. 부모와 아이의 관계가 사회성 발달과 밀접하게 연결되어 있다는 것을 잘 모르는 부모님들이 많습니다. 사회성은 어린이집이나 유치원 그리고 학교에서 또래 관계를 통해 주로 발달된다고 생각하는 것이지요.

진짜 사회성이 시작되는 곳, 그리고 사회성을 기르기 위해 연습하고 성장하는 곳은 가정입니다. 가정에서 이루는 부모와 아이의 관계가 사회성 발달에서 가장 많은 부분을 차지합니다. 부모와의 관계가 탄탄해야 아이는 다른 세계에 관심을 가집니다. 그리고 또래 관계에서 배우는 것들을 가정에서 연습할 수 있어야, 더욱 자신감 있게 또래에게 시도할 수 있습니다. 아이의 사회성 발달을 위해, 특히 영유아기 시기부터 부모가 제 역할을 해야 하는 이유이기도 하지요.

이런 의미에서 저는 만약 부모 성적표가 있다면 기준은 아이가 최종적으로 어른이 되었을 때 보여주는 사회성이라는 생각도 해보았습니다. 모든 것이 부모 탓이라는 것이 아니라, 부모가 그만큼 지속해서 영향을 미치며 도울 수 있는 영역이 사회성이기 때문입니다. 아이가 자라면서 만나는 또래 친구들, 선생님 등은 단계마다 필요한 하나하나의 상황이면서 동시에 스쳐 지나가는 자극입니다. 아이가 사회성을 발달시켜가는 긴 여정에 처음부터 끝까지 함께 뛰어주는 존재는 사실 부모뿐이지요. 그래서 부모는 '아이의 사회성'이 무엇인지 배우고, 사회성을 위한 러닝메이트로 함께 연습하며 달려주는 것이 필요합니다.

사회성이 잘 발달한 아이는 이렇게 말한다

건강한 사회성은 '주도성'에 가깝습니다. 정신분석학자 에릭 에릭슨의 심리사회적 발달 단계에 따르면 사람은 태어나서 죽을 때까지 단계별로 심리적 발달 과업을 하나씩 이루어내며 성장합니다. 1단계는 태어나서 1세까지 영유아기로 자신과 주양육자 사이에 '신뢰감'을 형성합니다. 2단계는 1~3세 유아기로 자신이 하고 싶은 일을 시도하며 '자율성'을 얻지요. 이어서 3단계인 3~6세 초기 아동기에 등장하는 과업이 바로 '주도성'입니다.

아이가 세상에 대한 신뢰를 얻고, 스스로 무언가를 해볼 수 있다는 것을 경험했다면, 그다음에는 '내가 원하는 것을 다른 사람과 함께하는 것'을 경험할 차례입니다. 내 마음대로 친구를 끌고 가는 게 아니라 '어떻게 하면 내가 원하는 것을 원활하게 함께할 수 있을까'가 핵심이지요. 예를 들어 아이는 기차

에릭슨의 발달 단계

연령	해당 시기의 과제	이 시기에 획득해야 하는 것
출생~1세	기본적 신뢰감	자신을 돌봐주고 반응해주는 양육자로 인해 자신과 세상을 신뢰하게 되는 것. 실패하면 자신과 세상에 불신감을 갖게 돼요.
1~3세	자율성	내가 시도하고 싶은 것을 해볼 수 있는 기회가 있어야 해요. 실패하면 스스로 능력을 의심하고 수치심을 느껴요.
3~6세	주도성	내가 원하는 것을 타인의 욕구까지 함께 고려하며 해결하는 방법을 배워가야 해요. 실패하면 죄의식을 느껴요.
6~12세	근면성	사회적, 학업적 기술을 배우며 타인과 자신을 비교하곤 해요. 자신이 잘하는 것에 대한 확신이 필요해요. 실패하면 열등감을 느끼게 돼요.
12~20세	자아 정체감	'나는 누구지?'에 대한 질문을 갖게 되는 시기예요. 자신에 대해 고민하며 자아 정체감을 형성해야 해요.
20~40세 (성인기 초기)	친밀감	타인과의 친밀한 관계(우정, 사랑)를 경험해야 해요.
40~65세 (성인기 중기)	생산성	자신의 직업과 가족 형성 등을 통해 무언가를 이루어내는 시기예요. 실패하면 침체감을 경험하게 돼요.
노년기	자아통합	일생을 의미 있고 생산적인 것으로 통합하는 시기예요. 실패한다면 실현되지 못한 것들 때문에 절망감을 느끼게 돼요.

자료: 이다랑, 『아이 마음에 상처주지 않는 습관』

놀이가 하고 싶은데, 친구는 소꿉놀이를 하고 싶어 합니다. 이때 사회성이 잘 발달한 아이는 이렇게 말합니다.

"(네가 원하는) 소꿉놀이 먼저 하고, 그다음에 기차놀이 할까? 내가 기차를 만들어서 소꿉놀이하는 곳으로 갈게!"

놀이를 조율하는 시도를 통해 내가 원하는 기차놀이와 친구가 원하는 소꿉놀이를 모두 만족시키는 방법을 생각하고 제안하는 것이죠. 이처럼 사회성은 관계를 잘 맺는 것에 그치지 않고, 관계를 유지하며 갈등을 해결해나가는 연속적인 개념입니다. '친화력'보다는 '문제 해결력'에 더 가깝습니다.

사례 1 "같이 놀고 싶어서 놀이터에 가도 결국 혼자 놀아요."

"아이는 놀이터에 가고 싶어 하는데, 막상 가면 또래와 놀이를 거의 하지 못해요. 또래 주변을 서성이다가 혼자 그네를 타거나 아이들이 노는 것을 구경하는 모습을 보면 마음이 짠하고 속상합니다. 아이가 사회성에 문제가 있는 것은 아닌지, 또래 관계에서 너무 밀리는 것은 아닌지 괜히 걱정도 되고요."

아이를 다양한 상황에서 관찰해주세요.

놀이터에서 일어나는 상황만으로 아이의 사회성을 재단하는 것은 무리가 있습니다. 왜냐하면 놀이터는 대다수 아이들에게 굉장히 난도가 높은 특수한 공간이기 때문입니다. 다양한 연령대의 불특정한 아이들이 모여 있고, 어떤 아이들이 모여 있는가에 따라 놀이의 종류와 분위기도 매우 달라요. 유치원이나 학교처럼 어른이 존재하지 않는 자유로운 상황이기에 아이들의 행동반경이나 에너지 수준도 꽤 높습니다. 물론 이런 상황에서도 적극적으로 놀이하며 처음 보는 아이와도 쉽게 말을 트고 놀이하는 아이도 있어요. 하지만 절반 이상의 아이는 이러한 상황을 두려워하고 긴장이 높아집니다. 그래서 조금 떨어져서 다른 아이들이 하는 놀이와 상황을 관찰하며 살피거나, 충분히 준비할 시간이 필요합니다. 이러한 상황이 불편해서 놀이터를 싫어하거나 집에서 놀려고 하는 아이도 있고, 놀이터에서 놀고는 싶지만, 준비가 필요해서 계속 맴도는 아이도 있습니다. 따라서 놀이터라는 상황에 국한하지 말고 다양한 상황에서 아이의 사회성이 어떤지 행동을 관찰하는 것이 우선입니다. 다음의 세 가지를 충분히 관찰해주세요.

1. 놀이터가 아닌 낯선 상황에서 아이의 모습은 어떠한가요? 장소가 낯설어서 어려운 건지, 사람이 낯설어서 힘든 건지 파악해보세요.
2. 기관이나 학교처럼 동일한 친구를 매일 만나는 환경에서는 아이가 상호작용을 할 때 놀이터에서의 모습과 차이가 있나요?
3. 낯선 장소와 낯선 친구들이 있지만 아이가 좀 더 빠르게 적응하거나 잘 놀았던 상황을 떠올려보세요. 그때는 어떤

특성이 있었는지 기억해두는 것도 도움이 됩니다.

사례 2 "늘 노는 아이와는 잘 노는데 새로운 친구 사귀는 게 힘들어요."

"아무래도 아이가 사회성이 부족한 것 같아서, 계속 여기저기 데려가고 다양한 친구들을 만나도록 도와주고 있어요. 자꾸 겪어야 아이도 익숙해질 것 같아서요. 그런데 제 바람과 달리 아이는 잘 놀지도 못하고 자꾸 위축되는 것 같아요. 여러 아이가 모여 놀 때, 우리 아이는 겉도는 것 같고 본인도 그것을 느끼는지 안 놀고 싶다고 거부하기도 하고요. 어떻게 하면 좋을까요?"

아이가 작은 관계를 반복하되 상황을 다양하게 경험하게 해주세요.

아이의 사회성 발달을 돕기 위해 아이가 다양하고 많은 관계를 경험하게 만드는 경우가 종종 있습니다. 바로 사회성을 '빠른 친화력' 정도로 축소하여 생각했을 때 나타나는 모습입니다. 물론 아이가 다양한 또래를 경험하도록 기회를 주는 것은 중요합니다.

하지만 여기에 지나치게 집중하다 보면 오히려 아이가 또래 관계를 두려워하고 성공 경험이 부족하여 더욱 거부하는 모습을 보일 수 있습니다. 아이 처지에서는 매번 새로운 관계를 경험하고 적응해야 하는데 뜻대로 되지 않고 방법도 잘 모르니, 작은 변화라도 생기면 두려운 마음이 들 수밖에 없지요.

앞서 이야기 나누었듯 사회성은 관계에서 나타나는 문제들을 해결하는 능력이라고 보아야 합니다. 아이들끼리 놀다 보면 재미있는 순간을 보내기도 하지만, 예상하지 못한 갈등이나 문제를 만나게 되기도 합니다. 사회성 발달에 있어 아이가 이런 갈등이나 문제를 해결해보는 것은 중요한 경험입니다.

그런데 매번 낯선 친구들과 함께해야 한다면 사귀는 자체에 에너지를 너무 많이 쓸 수밖에 없고, 반복해서 만나고 시간을 오래 보내는 관계에서 접하게 되는 문제는 나타나지 않을 수 있습니다. 그래서 아이의 사회성 발달을 위해서는 아이가 익숙하고 편안한 소수의 친구를 반복하여 만나는 경험이 더 도움이 됩니다. 익숙한 관계에서 즐거움도 경험하고 갈등도 해결하며 관계에 대한 효능감을 충분히 느끼게 해주는 것이지요. 특정 친구들과 연습한 사회성 스킬은 다른 친구를 만날 때도 자연스럽게 적용할 수 있습니다. 억지로 다양한 관계에 노출하기보다는, 아이가 천천히 충분하게 경험하도록 도와주세요.

사례3 "자꾸 아이들과 부딪치는데, 놀이터에 나가지 못하게 하는 게 맞을까요?"

"아이가 놀이터에서 놀 때 다른 아이들을 자기 마음대로 하려고 해요. 그러다 보니 자꾸 다른 아이들과 부딪칩니다. 다른 부모님들 보기 민망해서 내보내지 말아야 하나라는 생각까지 들어요."

사회성은 경험을 통해 배울 수 있고, 아직 아이들은 배우는 중이에요.

아이가 다른 아이들과 자꾸 부딪치면 부모는 난처합니다. 위축되기도 하지요. 급기야 아이가 문제를 만들지 않도록 상황 자체를 차단하는 것까지 생각하기도 합니다. 하지만 부모가 난처하다고 아이를 모든 갈등 상황으로부터 차단해버리면, 아이는 배울 기회를 잃어버립니다. 사회성은 부모가 가르쳐서 길러지는 것이 아니라 경험을 통해 배우는 영역이기 때문입니다.

걱정 마세요. 모든 아이, 특히 미취학 연령의 영유아 아이들은 사회성이 부족합니다. 내 눈에 사회성이 좋아 보이는 다른 아이는 다른 아이대로 연습해야 하는 사회성 부분이 있답니다. 우리 아이가 자기 고집이 세고 욕심이 많아서 어려움이 있다면, 또 다른 아이는 자기주장을 하지 못하고 끌려다니기만

해서 걱정이기도 합니다.

일단 노는 장소를 바꿔볼까요? '놀이터'는 아이들에게 무언가를 연습하기에 안정적인 장소는 아닙니다. 일단 예측할 수 없는 일들이 연달아 일어나는 데다, 보호자끼리 관계가 안정적이지 않으면 아이의 행동을 제대로 관찰하고 개입하는 것이 쉽지 않거든요. 아이들의 성향이 다르더라도 부모끼리 좀 더 편안하게 대화를 나눌 수 있는 관계를 선택하고, 집과 같이 안정적인 환경에서 놀이 경험을 충분히 주는 것이 좋습니다.

아이가 고집을 부리고 문제를 일으키면 상대의 양해를 구하고 다른 곳으로 데려가 아이에게 현재의 문제에 대해 훈육하고, 사과하는 과정을 끌어낼 수 있어야 합니다. 그러려면 부모의 마음에 여유가 있어야 하고, 상대방 부모와 함께 이야기를 나눌 수 있는 관계라야 합니다. 놀이터보다는, 작은 관계에서 시작해야 하는 이유가 여기에 있습니다.

아이의 사회성을 키워주려면 부모 스스로가 초조한 마음을 잘 다스리는 것이 중요합니다. 사회성은 아이가 경험을 쌓아가며 발달해가는 결과물입니다. 오늘은 부족할 수 있고 서툰 대응을 할 수 있지만 아이의 사회성은 과정 중이기에 그럴 수 있어요. 이런 마음을 가져야, 갈등 상황을 피하지 않고 아이와 함께 부딪치며 나아갈 수 있습니다.

'놀이터 사회성'을 키우는 3가지 비결

1. 편한 친구와 자주 만나게 해주세요.

우선 놀이터라는 낯선 상황에 아이를 무리하게 노출하기보다는 편한 친구와 반복해서 만나게 해주세요. 익숙한 친구를 만나도 처음에는 서먹해하고 금방 놀지 못하는 경우가 많습니다. 반복해서 만날수록 빠르게 놀이를 시작하고, 자주 놀수록 다양한 갈등을 해결할 수 있는 힘이 생기게 되지요. 이렇게 특정 사람과 관계 맺는 스킬을 충분히 연습하면 다른 친구를 만날 때도 적용할 수 있게 됩니다.

2. 놀이터 성공 경험을 만들어주세요.

친구와 놀이하는 것은 낯설고 어려운 일이라고 생각하는 아이들이 많아요. 성공 경험, 즉 재미있게 노는 경험을 할 수 있게 해주시면 좋아요. 아이가 놀이터가 아닌 낯선 공간에서 새로운 친구들과 편안하게 놀이를 한 적이 있다면 그때의 특성은 어떠했는지 생각해보고 같은 환경을 적용해보는 것도 좋습니다.

3. 걱정 마세요. 사회성은 발달하고 있는 중입니다.

양육자가 지나치게 초조해하면 걱정이나 불안이 많은 아이일수록 더욱 또래와 놀이하는 상황을 불편하게 느낍니다. 양육자가 초조함을 잘 다스려야 아이의 사회성 발달을 안정적으로 도와줄 수 있답니다.

02

나이에 따른 사회성 발달 단계

이기적인 게 아니라,
아직은 그럴 나이

"28개월 아이인데 또래에게 관심이 없어요. 조리원 동기들과 함께 종종 모여서 노는데 또래 옆에 앉혀두어도 아이는 친구들의 놀이에 그다지 관심이 없어요. 좋아하는 블록만 갖고 노는게 보통이에요. 어쩌다 누구와 놀고 싶으면 엄마를 찾아요. 같이 놀아야 사회성이 자라는 것 아닌가요?"

"40개월 아이입니다. 아이가 너무 이기적인 것 같아서 걱정입니다. 충분히 가졌는데도 친구에게 어느 것 하나 양보해주지 않으려고 하고, 앞에서 울고 있는 친구를 보아도 아랑곳하지 않아요. '친구가 울고 있잖아, 하나만 나눠주자!'라고 설명해 줘도 잘 이해하지 못하는 아이, 괜찮을까요?"

"36개월 아이의 밀치고 꼬집는 행동 때문에 고민입니다. 자기 것을 만지려고 친구가 다가오면 밀치거나 꼬집어요. 계속 타일러봤지만, 여전히 행동이 나아지지 않아요. 어린이집 같은 반 아이에게도 미안하고요. 제가 어떻게 해야 하는 걸까요? 심란합니다."

사회성에는 기다림이 필요하다

만 3~4세 이하 아이를 키우는 부모님들에게 이런 질문을 아주 많이 받습니다. 세 명의 부모님 모두 아이가 사회성이 부족한 것 같아서 고민입니다. 같이 놀기보다 혼자 놀이에 몰두하고, 친구의 마음을 헤아리지 못하고, 심지어 밀치거나 꼬집기 때문이지요. 부모님의 걱정되는 마음은 이해하지만, 괜찮습니다. 아이의 연령을 고려해서 봐야 합니다.

부모인 우리는 이미 성인이기에 어떤 과정을 통해 사회성이 만들어졌는지 잘 기억하지 못합니다. 개구리가 올챙이 적 생각 못 하듯 우리 또한 미숙한 행동을 반복하며 지금 단계까지 왔다는 걸 잊어버린 것이지요. 가만히 누워 있다가 어느 날 갑자기 벌떡 일어나 달리는 아이는 없습니다. 사회성도 마찬가지입니다. 목을 가누고 뒤집고 앉고 딛고 서는 일련의 과정을 통해 마침내 스스로 걷고 뛰듯이, 사회성도 보이지 않는 세밀한 마음의 발달 과정을 통해 조금씩 성장합니다.

그런 과정에서 넓게 보았을 때 만 3~4세 이하의 아이들은 이제 막 나의 세상에서 타인과의 세상으로 나아가는 초기 지점에 있는 것이라고 볼 수 있습니다. 여러모로 미숙하고 부족해 보이는 것이 당연하지요.

아이는 언제부터, 어떻게 '타인'을 인지할까?

세상에 막 태어난 아이의 세계 안에 존재하는 것은 오로지 아이 하나뿐입니다. 아이는 곧 '세상=나'라고 생각합니다. 부모가 아이를 위해 먹이고 재우고 기저귀를 갈아주는 모든 수고에 감사하는 것이 아니라 내가 스스로 만들어낸 '전지전능함'이라고 생각합니다. 쉽게 말해 '울기만 해도 척척 해결되다니, 나는 참 최고구나!'라고 생각하는 것이지요. 하지만 이런 생각은 일 년도 채 되지 않아 금방 깨져버립니다.

아이는 이제 주 양육자라는 소중한 타인을 인지하게 되고, 애착의 관계를 형성합니다. 주 양육자가 나에게 정말 중요한 존재라는 것을 깨닫고 매달리게 되지요. 보통 이 시기가 생후 6~8개월 사이인 경우가 많은데, 이를 '부모 껌딱지' 기간이라고 부르기도 합니다. 주 양육자가 눈앞에서 사라지는 것을 용납하지 못하고, 절대적으로 의존하는 시기이기에 주 양육자의 스트레스가 폭발하기 십상입니다. 하지만 '발달' 측면에서 보면 아이가 양육자와 관계를 잘 맺었다는 중요한 신호랍니다. 이 관계는 사회성 발달의 기초가 됩니다. 나와 가장 가깝고 믿을 수 있는 주 양육자와의 1:1 관계는 아이의 마음에 '세상의 모든 관계는 참 좋고 안전하다'라는 깨끗하고 좋은 렌즈를 끼워주는 것과 같습니다. 이 관계를 기초 삼아 아이는 비로소 세상에 관심을 두기 시작하고 점차 다양한 관계로 확장해나갈 수 있게 됩니다.

영국 그림책 작가 알렉시스 디컨의 『에르고』라는 그림책에는 이러한 과정이 잘 그려져 있습니다. 아이가 성장하여 사회로 나아가는 과정을 병아리가 알껍데기 안에서 세상을 인지하고 마침내 알을 깨고 나오는 과정으로 그리고 있습니다. 에르고의 내적 외침은 "내가 곧 세상이고 세상이 곧 나구나!"에서 시작되어 "세상에 나 하나뿐이 아니었어! 친구들이 많이 있네"

『에르고』, 알렉시스 디컨 지음, 비비안 슈바르츠 그림, 노은정 옮김, 비룡소.

로 변화합니다. 더불어 마지막 페이지에서는 "에르고의 세상이 열렸답니다"라는 글과 함께 이제 막 에르고처럼 알을 깨고 나온 친구들의 모습이 그려지지요. 이 그림책은 아이의 사회성이란 처음부터 완성되는 것이 아니라 나를 인지하고 중요한 타인을 느끼며 성장하는 일련의 과정 속에서 발달한다라는 의미 있는 메세지를 사랑스럽게 잘 담아내고 있습니다.

나를 알고, 엄마를 알고, 세상을 알기까지

또한 아이의 내적 세계 확장뿐 아니라, 타인과 상황을 고려하며 문제를 해결해나가는 능력도 단계를 거치며 조금씩 성장합니다. 특히 '사회적 조망 수용 능력'은 우리가 기억할 필요가 있습니다. 사회적 조망 수용 능력은 사회적 관계를 인지하고, 다른 사람의 관점이나 입장, 감정 등을 이해하는 것을 의미합니다. 일종의 사회 인지의 발달이지요. 사회적 조망 수용 능력이 잘 발달한 아이는 감정을 잘 이입하고, 필요할 땐 동정심을 느끼며 사회적 상황에서 발생하는 문제를 해결하는 힘을 갖게 됩니다. 우리가 앞서 이야기한 '진짜 사회성' 발달과 매우 비슷하지요.

그런데 이 사회적 조망 수용 능력은 연령에 따라 어느 정도 발달하는 단계가 정해져 있습니다. 하지만 나이가 든다고 무조건 다음 단계로 발달해나가는 것이 아니라 주위 환경에 따라 발달 수준이 달라집니다. 발달할 수 있도록 돕는 환경이 매우 중요하지요.

1. 자기중심적 관점

엄마가 화난 건 알지만 왜 화가 났는지는 모른다

만 3~5세는 자기중심적 단계입니다. 셀만(Selman)의 사회적 조망 수용 능력 발달단계에 의하면 취학 전까지는 '자기중심적' 단계인 경우가 보통입니다. 타인과 내가 다른 존재임을 알았지만, 다른 사람의 입장을 나와 다르게 구분하여 생각하지 못하고 상대방의 감정에 이름은 붙일 수 있지만 원인과 결과를 연결해서 생각하기는 어려워합니다. 예를 들어 등원해야 하는데 밥을 안 먹고 장난쳐서 엄마가 화가 났다면, 화가 났다는 것은 알지만 내가 밥을 안 먹고 장난친 행동과 연결하여 생각하지 못할 수 있습니다. 취학 전 아이를 키우는 부모님들은

셀만의 사회적 조망 수용 능력 발달 단계

단계	연령	특징
0단계 자기중심적 관점	만 3~5세	타인과 내가 다른 존재임을 알지만, 다른 사람의 입장을 나와 다르게 구분하여 생각하지 못한다.
1단계 사회 정보적 조망 수용	만 6~8세	타인과 나의 생각이 다를 수 있다는 것은 알지만, 그 이유를 명확하게 파악하지 못한다. 눈에 보이는 것만으로 상황을 판단한다.
2단계 자기 반영적 조망 수용	만 8~10세	다른 사람의 관점을 이해하기 시작하고, 역지사지를 알게 된다.
3단계 상호적 조망 수용	만 10~15세	자신과 상대뿐 아니라 제3자의 입장까지 이해할 수 있다. 자신을 주체로서도, 객체로서도 바라볼 수 있는 능력이 생긴다.
4단계 사회 관습 체계적 조망 수용	만 15세~성인	사회적 관습, 법과 도덕의 관점을 이해한다. 똑같은 일도 상황에 따라 옳을 수도 있고, 그렇지 않을 수도 있다는 사실을 깨닫는다.

아이가 많이 컸는데도 여전하다고 고민하지만, 긴 발달 과정에서 보았을 때 이 시기의 아이들은 이기적이고 사려 깊지 못한 행동을 한답니다. 가르쳐서 배우게 해야 하는 것은 맞지만, 잘하지 못하는 아이에게 무조건 사회성에 문제가 있다고 판단하는 것은 섣부른 생각일 수 있지요.

2. 사회 정보적 조망 수용

엄마가 왜 화났는지는 알지만, 그게 왜 화낼 일인지는 모른다

초등 저학년 연령이 되어 '사회 정보적 조망 수용' 단계에 이르러도, 타인이 나와 생각이 다를 수 있다는 것은 알지만 이유를 아주 정확하게 파악하지는 못합니다. 또 상대가 의도한 행동인지 아닌지는 이해할 수 있지만 그럼에도 여전히 눈에 보이는 것만으로 판단하는 모습을 자주 보입니다. 예를 들어 동생이 놀다가 손으로 얼굴을 때리듯이 쳤다면 동생에게 나쁜 의도가 없었다는 것은 알지만 그럼에도 눈앞에서 일어난 상황으로 동생은 나쁘다고 말하는 미숙한 판단을 할 수 있습니다.

3. 자기 반영적 조망 수용

친구 때문에 다쳤어도 실수라면 화내지 않는다

만 8~10세 초등학교 고학년 연령 정도가 되면 '자기 반영적 조망 수용' 단계까지 발달할 수 있습니다. 그래서 다른 사람의 관점이나 의도, 목적과 행동에 관한 판단을 보다 잘할 수 있지요. 하지만 제3자의 입장까지 고려하는 복잡한 상황은 어려울 수 있습니다. 예를 들어 친구와 놀다가 다쳤을 때, 친구의 입장과 의도가 그렇지 않다는 것을 안다면 금방 관계를 회복하고 다시 놉니다. 어른들 입장에서는 오히려 '아직 해결되지 않은 것 같은데…'라며 찝찝하면서도 어리둥절한 상황이 종종 벌어지기도 하지요.

4. 상호적 조망 수용

"이런 걸로 친구 부모님은 야단 안 치는데 엄마는 왜 화내요?"

초등학교 고학년에서 중학생 정도 나이에는 '상호적 조망 수용'이 가능할 수 있습니다. 나와 다른 사람뿐 아니라 제3자의 입장도 동시에 고려할 수 있지요. 예를 들어 부모가 방이 너무 더럽다고 야단을 치면 나의 입장과 부모의 입장이 다를 수 있다는 것을 압니다. 동시에 제3자인 친구를 떠올려 비교할 수도 있습니다. "친구 방은 더 더럽다, 친구는 이런 것으로 혼나지 않는다"라며 자신을 적극 방어하는 모습을 보이기도 합니다. 이러한 행동이 반항이나 말대답처럼 보일 수도 있지만 다른 측면에서는 다양한 사람의 입장과 상황을 고려하고 적용할 수 있게 되었다는 의미가 되기도 합니다.

5. 사회적 관습 체계적 조망 수용

사회적 관습을 고려해서 생각한다

마지막으로 성인기까지 발달로 이어져야 하는 '사회적 관습 체계적 조망 수용' 단계가 있습니다. 이때부터는 사회적인 관습도 함께 고려하는 것이 필요합니다. 법이나 도덕, 제도 등이 서로 상호영향을 미치며 이 상황에는 이 행동이 옳았지만, 다른 상황에서 그렇지 않을 수 있다는 다소 복잡한 상황을 이해할 수 있게 됩니다.

사회적 조망 수용 능력의 발달 단계를 통해 아이는 자기만 아는 사고체계에서 벗어나 다른 사람과 제3자를 함께 고려하고 우리가 살고 있는 세상의 관습과 제도까지 고려할 수 있는 문제 해결 단계로 나아가게 됩니다.

그러나 다만, 모든 사람이 사회적 조망 수용 능력을 마지막 단계까지 잘 발달시키는 것은 아닙니다. 또한 아이의 연령에 맞게 잘 발달하고 있는 경우도 드뭅니다. 우리가 부모로서 기억해야 할 것은, 아이가 타인의 입장을 고려하고 문제를 해결하는 능력이 어느 날 갑자기 이루어지는 것이 아니라 충분한 시간을 통해 얻어지는 것이며, 이러한 과정을 잘 배울 수 있도록 돕고 지지하는 역할이 필요하다는 점입니다.

아이가 태어나서 거쳐야 하는 여러 발달 영역에서 사회성 발달은 눈에 보이는 다른 발달 영역에 비해 조금 늦게 시작하고 천천히 진행되는 것처럼 보일 수 있습니다. 예를 들어 두뇌 발달의 경우 아이는 태어났을 때 전체 두뇌 발달의 30% 정도 완성된 상태로 태어납니다. 그리고 생후 3년까지 성인 뇌 발달의 1.5배까지 최대한 빠르게 넓혀둡니다. 오히려 이후로 가지치기 작업을 하며 효율화해야 할 정도이지요. 신체 발달은 또 어떤가요? 태어난 직후에는 목도 스스로 가누지 못하던 아이가 돌 무렵이 되면 직립보행하고 스스로 걷는 경우가 보통입니다. 1년 안에 엄청난 변화를 보이지요. 언어 발달도 마찬가지입니다. 울음을 통해 모든 것을 해결해야 하는 신생아가 놀랍게도 생후 3년 정도면 자신이 원하는 것을 언어로 대충 표현할 수 있을 정도로 발달합니다.

하지만 그에 비해 사회성 발달은 위의 단계에서도 볼 수 있듯이 굉장히 놀라울 정도로 느리고 긴 시간을 통해 이루어집니다. 따라서 우리는 우리가 짐작하는 속도에 맞추어 아이의 발달을 넘어서는 너무 높은 수준의 사회성을 기대하고 있는 건 아닌지 조심해야 합니다. 그리고 사회성 발달에는 더욱 많은 지원과 기다림이 필요하다는 것을 기억해야 합니다.

사례 1 "수줍어하는 건 아닌데, 또래에 관심이 없어요."

"24개월 아이인데 또래에 관심이 없어요. 그런데 옆집 아이도 그렇더라고요. 둘이 놀게 해도 같은 공간에서 각자 자기 놀이를 하면서 놀아요. 싸우는 건 아니지만… 다른 아이를 찾아서 억지로라도 놀게 할까요?"

또래 놀이는 조금 늦게 발달할 수 있습니다.

보통 36개월 정도 지나면 또래와 조금씩 함께 놀이를 하고 본격적으로 사회적 상황에 맞추어 활동합니다. 그래도 어른들 생각만큼 적극적으로 또래 놀이를 하며 상호작용을 하거나, 감정을 조절하고 양보하는 수준은 아닙니다. 사회성이 완성되는 것이 아니라 이제 본격적으로 발달하기 위해 출발선에 선 것이니까요. 36개월 이전은 아직 자율성을 실험하는 단계입니다. 그래서 타인과 함께하는 단계로 넘어가기 전 내가 무엇을 어디까지 해볼 수 있는지 마음껏 도전하며 세상을 탐색하는 데 몰두하고 있는 시기라고 볼 수 있지요. 당연히 또래와 함께 같은 목표로 놀이하거나, 놀이를 하기 위해 감정을 조절하고 규칙을 지키는 것은 어려운 시기예요.

저연령 아이의 사회성은 우선 양육자와 하는 상호작용을 더 중요하게 생각해야 합니다. 그리고 아이의 발달 단계에 관해 관심을 가지며 지켜봐주어야지요. 가끔 아직 어린 연령임에도 불구하고 먼저 어른이나 친구에게 다가가는 아이가 있는데, 아이는 사람에게 관심이 많고 친밀감에 대한 욕구가 기질적으로 많은 아이일 수 있습니다. 그런 경우와 우리 아이를 비교하면서 사회성을 심각하게 걱정하는 것은 곤란합니다. 높은 친밀감이 곧 높은 사회성을 의미하는 것은 아니니까요.

사례 2 **"이기적인 우리 아이, 공감 능력이 떨어지는 것 같아요."**

"42개월 아이입니다. 다른 집 아이는 엄마가 울면 옆에서 달래준다는데, 저희 아이는 엄마가 울든 말든 아프든 말든 관심이 없습니다. 자기 장난감을 만지지도 못하게 해서 친구가 울어도 아무렇지 않습니다. 몇 번이나 '친구 속상하니까 같이 쓰자' 하고 가르쳐줘도 달라지지 않는 아이를 보면서 어떨 땐 무서운 생각도 듭니다."

시간을 가지고 천천히 가르쳐주세요.

아이를 보면서 답답하고 걱정되는 마음이 드는 것은, '왜 반복적으로 알려줘도 아이의 행동이 달라지지 않는가?' 초조하기 때문입니다. 하지만 부모가 무언가를 가르쳐준다고 아이가 한 번에 수용하고 행동이 바뀌는 경우는 드뭅니다. 특히 발달 과정상 아직 아이가 그러한 개념을 이해할 수 없다면 아무리 말하고 혼내도 변화가 빠르게 일어나지 않는 것이 당연합니다. 취학 전 연령의 아이는 아직 자신과 다른 사람의 생각이 다를 수 있다는 것을 이해할 수 있을 정도로 사회적 조망 수용 능력이 발달하지 못했습니다. 정서 발달 단계를 보아도 아직 자신의 감정도 제대로 인지하고 표현하지 못하는 단계이며, 인지발달 측면에서 동시에 여러 가지 사항을 고려하거나 눈에 보이지 않는 마음이나 감정, 시간 등의 추상적인 개념을 이해하기 어렵습니다. 어떤 영역으로 보아도 아이가 타인의 마음을 고려하지 못하는 것은 정상 발달 과정입니다.

물론 아이에게 가르치는 것은 포기하지 않아야 해요. 되도록 갈등 상황을 적게 만들되, 이러한 일이 발생한다면 아이가 양보하거나 기다리는 것을 배울 수 있도록 가르쳐야 합니다. 하지만 가르치는 과정을 계속해도 아이의 행동은 이기적으로 보일 수 있으며 울면서 저항할 수도 있습니다.

이럴 때 '그럴 수 있지"라고 받아들이고 아이를 가르치는 것과 '왜 말을 안 듣지?'라고 생각하는 것은 큰 차이가 있습니다. 아이의 발달 과정을 이해하고 있으면, 목표 달성 지점을 멀리 잡고 느긋한 마음으로 반복할 수 있습니다. 그래야 부모의 훈육과 양육 태도가 일관성 있게 유지될 가능성도 높아집니다.

사례 3 "자꾸 때리는 아이, 훈육하는 비법을 알려주세요."

"36개월 아이예요. 자신의 것을 만지려고 친구가 다가오면 밀치거나 꼬집어요. 계속 타이르지만, 행동이 나아지지 않아요. 제가 어떻게 해야 하는 걸까요?"

욕구를 행동이 아니라 말로 표현하도록 해주세요.

아이가 또래에게 밀치거나 꼬집는 행동을 보인다면 여러 가지 이유가 있습니다. 친구가 다가오는 것이 순간 두려워 방어하는 행동일 수도 있고, 내가 가진 것을 빼앗길까 봐 밀치거나, 반대로 친구가 가지고 있는 것을 갖기 위해 여러 가지 공격적으로 보이는 행동을 할 수 있습니다. 이유가 어찌 되었든 핵심은 아이가 자신의 감정이나 욕구를 언어가 아닌 행동으로 표현하고 있다는 점입니다. 상황에 따라 다른 아이의 부모님에게 사과해야 하고, 아이가 다른 표현을 하도록 꾸준히 가르쳐야 하는 것은 당연합니다. 하지만 아이가 현재 그런 행동을 보인다고 해서 아이에게 문제가 있다고 걱정만 하는 것은 좋지 않습니다.

그보다는 아이가 행동으로 표현하는 것이 아닌 언어로 표현하는 것이 더 좋다는 것, 그리고 언어로 '어떻게' 표현해야 하는지 반복적으로 가르치는 것에 집중해야 합니다.

예를 들어 "친구가 뺏을까 봐 그랬던 거니?"라고 아이의 생각을 읽어주고, "하지만 때리는 것은 절대 안 돼!"라고 명확하게 금지를 합니다. 여기에 더하여, "때리지 않고 '안 돼'라고 말하자" 라든가 "때리지 않고 다른 곳으로 가는 거야"라고 대안을 반드시 함께 얘기해주어야 합니다. 아이가 때리지 않고 말이나 다른 형태로 표현했을 때는 반드시 알아주고, 칭찬해서 아이가 원하는 결과로 이어지게 해야 합니다.

아이가 자신을 방어하려고 하거나, 자기도 가지고 놀고 싶다고 생각하는 것은 잘못이 아닙니다. 그것을 어떻게 표현하는가에 초점을 맞추어 명확하게 가르쳐주세요.

이럴 땐 전문가를 꼭 만나세요

아이가 혼자 잘 놀고 몰두하는 모습을 자주 보이는 것 자체로 문제가 되는 것은 아닙니다. 다만 다음의 몇 가지를 관찰하는 것은 필요합니다.

1. 불렀을 때 제때 반응하나요?

먼저 아이가 무언가에 몰두하여 놀이하고 있지 않은 상황일 때 아이를 불러 반응이 어떠한지 살펴보세요. 깊이 몰두하지 않은 상황에서 호명했는데도 아이가 잘 반응하지 않는다면 유심히 관찰하셔야 합니다.

2. 느려도 꾸준히 언어 발달을 하나요?

아이의 언어 발달이 너무 지연되고 있지는 않은지 발달을 체크해보세요. 언어 표현은 아이가 외부 세계와 닿아 있고 상호작용한다는 것을 의미합니다. 언어 발달이 조금 느리더라도 꾸준히 발달하고 있는지, 다른 사람과 상호작용하기 위한 방법으로서 언어를 주고받으며 사용하는지 등을 살펴보세요.

3. 상호작용하는 말을 하나요?

언어 발달에 크게 문제가 없다고 느껴지더라도 언어 표현을 어떤 목적으로 사용하고 있는지를 반드시 살펴보아야 합니다. 아이가 부모의 말을 따라하는 방식으로 반응하거나, 자신의 목적만을 위해 일방적인 언어 표현을 한다면 잘 관찰해보아야 합니다. 부모의 말에 반응하며 탁구공이 오가듯 상호작용을 주고받는지를 살펴보세요.

4. 영어도 의사소통으로 사용하고 있나요?

종종 아이에게 영어 노출을 지나치게 일찍 많이 한 경우, 아이가 영어 소리를 있는 그대로 외우고 따라하는 경우가 있습니다. 그래서 마치 언어 발달이 잘 되고 있는 것처럼 보일 수 있고, 우리말 발달이 늦더라도 두 개의 언어에 노출되는 바람에 모국어 발달이 느리다고 생각하는 경우가 있습니다. 그래서 아이가 영어로 이야기를 하더라도 그것이 정말 의사소통으로서 사용하고 있는 것인지 아니면 단순 암기와 반복인지를 유심히 살펴보셔야 합니다.

5. 양육자와 눈 맞춤은 어떤지 살펴보세요.

아이에게 가장 익숙한 대상인 부모와의 눈 맞춤이 어떤가요? 눈 맞춤은 상호작용의 기본이며 아이가 타인을 인지하고 있다는 중요한 단서입니다.

만약 위 다섯 가지중 해당되는 부분이 있다면, 아이의 행동을 구체적으로 파악하고 염려되는 부분에 대해 빠르게 전문가를 만나 검사와 상담해 볼 것을 권해드립니다.

1. 사회성은 친구 빨리 사귀기가 아닙니다.

사회성은 친구를 빨리 사귀고 사이좋게 지내는 능력이 아니라 문제 해결력입니다. 나와 다른 사람의 욕구가 다를 때, 적절하게 양보하고 또 필요할 때 거절하고 선택하며 조율해가는 능력입니다. 사이좋게 지내는 것이 사회성이라고 오해하게 되면, 겉으로 보이는 모습만으로 아이가 잘 지낸다고 생각하고 적절한 도움을 주는 것을 놓치게 될 수 있습니다.

---

2. 사회성은 다양한 사람을 대하는 능력입니다.

사회성은 또래관계에만 한정되는 것이 아니라 부모와의 안정적인 관계에서 시작되며, 부모가 아닌 어른인 선생님과의 관계까지 이어지는 개념입니다. 점차 아이가 다양한 사회성 연습을 할 수 있도록 도와주어야 합니다.

3. 어른이 될 때까지 사회성은 계속 자랍니다.

아이들의 사회성은 아직 발달 중이기에 미숙하며, 경험과 연습을 통해 이루어집니다. 단순히 몇 가지 상황만 보고 아이의 사회성에 대해 성급한 판단을 하지 말아주세요. 기관 생활을 하면서 비로소 시작되며 초등학교 기간까지 내내 이루어지는 긴 발달의 여정입니다.

4. 사회성은 문제를 통해 길러집니다.

또래관계에서 아무 일도 일어나지 않으면 아이는 아무것도 배울 수 없습니다. 발생하는 문제를 통해 아이는 자신과 다른 사람을 이해할 수 있게 되고 적절한 방법을 배워가게 됩니다. 부모가 모든 문제를 미리 막아주는 방식으로는 아이의 사회성이 건강하게 발달할 수 없다는 것을 기억해주세요.

03

기질에 따라 달라지는 사회성 과제

기질은 같아도
더 좋은 성격으로 키울 수 있다

"아이는 기질적으로 두려움이 많은 것 같아요. 새로운 것에 적응하는 데 시간이 오래 걸리고 자주 보는 사람이라도 부끄러워서 인사도 잘 못해요. 지금은 아이가 어리니 더 지켜봐야겠지만, 이런 아이의 성향이 사회성에 영향을 줄까 봐 걱정됩니다. 아무래도 적극적이고 활달한 아이들에 비해 많은 기회를 놓치는 것 같기도 하고요. 제가 어떻게 도와줄 수 있을까요?"

우리는 사회성이란 무엇이며, 사회성에 대해 가지고 있는 오해는 무엇인지, 아이의 사회성 발달은 어떤 과정을 통해 시작되고 진행되는지 이야기를 나누었습니다. 하지만 그렇다고 아이의 사회성 발달을 바라보는 부모의 마음이 마냥 편하지는 않을 거예요. 아무리 사회성이 하루아침에 발달하는 것이 아니며, 과정에서 실패가 있고 많은 경험이 필요하다는 것을 알아도 오늘 당장 아이가 좀 더 달라졌으면 하는 마음을 버리기란 쉽지 않으니까요.

수줍고 겁 많은 아이, 사회성이 괜찮을까?

다른 집 아이는 다들 적극적이고 활달한 것 같지만, 우리가 생각하는 것보다 훨씬 많은 아이가 새로운 사람이나 환경을 두려워하고 적응하기까지 충분한 시간이 필요합니다. 그동안 양육자는 '아이가 사회성이 좋지 않아 소극적인 걸까?', '내가 제대로 돕지 않아서 아이가 소극적일까?' 걱정하게 되지요. 마냥 부끄러워하고 적응이 느린 아이를 보며 공감해주고 이해하려고 애쓰지만 '언제까지 이래야 할까?', '공감해주면 아이가 달라지기는 하는 걸까?' 고민이 됩니다. 특히 적극적이고 많은 친구와 쉽게 어울려야 사회성이 좋은 것으로 생각하는 사회적 분위기는 수줍고 겁 많은 특성의 아이를 키우는 양육자를 더욱 초조하게 합니다.

그런데 아이의 특성으로 인한 사회성 고민은 다른 기질의 아이를 둔 양육자도 똑같이 합니다. 아이가 너무 적극적이고 사람을 좋아하고 활발하게 행동할 때도 양육자는 고민합니다. “선생님, 아이가 너무 나대서 미움받을 것 같아요”라고 요샛말로 솔직하게 고민을 털어놓는 양육자도 정말 많습니다. 뭐든 적당히 해야 한다는 생각이 있다 보니 아이의 말과 행동이 적극적인 나머지 실수하고 다른 사람을 불편하게 하면 어쩌나, 미움받으면 어쩌나 걱정하는 것이지요. 특히 양육자의 성격이 타인의 상황과 감정에 민감하고 신경을 많이 쓰는 경우, 적극적인 아이를 걱정하다 못해 밖에서 통제를 강하게 하게 됩니다. 즉 아이의 특성이 어떠하든 상관없이 부모는 자신의 아이를 보며 사회성 고민을 한다는 것을 말씀드리고 싶습니다.

사회성과 성격 발달은 평생에 걸쳐 이루어진다

사회성은 어느 날 갑자기 툭 튀어나오는 개념이 아닙니다. 사회성 이전에 아이는 자기 자신과 세상에 대한 신뢰를 쌓는 과정을 거치고 이를 기반으로 스스로 무언가를 해보려고 하는 시도를 충분히 한 후, 내가 원하는 것을 다른 사람과 함께할 수 있는 단계로 넘어갑니다. 이 세 번째 단계가 사회성 발달과 연결되어 있지요. 이 과정에 맞추어 아이 내면의 세계도 확장됩니다. 처음에는 이 세상에 오로지 '나'밖에 존재하지 않았다가 나와 가장 밀접한 타인인 주 양육자를 통해 '나와 타인'의 세계로 넘어갑니다. 그 과정에서 절대적인 의존도 하고, 분리되어 세상도 탐색하며, 다시 돌아와 안정을 찾기도 하는 '관계'를 경험합니다. 이런 과정을 통해 아이의 세상은 나와 주 양육자 위치에서 확장되어 '나와 세상', 즉 다수 속에 놓이게 됩니다. 내가 다수의 타인과 관계를 맺는 단계에서 아이는 이전과는 다른 새로운 자극과 환경을 접하게 됩니다. 그리고 더욱 세상에 반응할 기회가 많아지지요. 사회성이 발달하는 이 과정에서 아이는 어떻게 이 세상에 반응하며 살아가야 할지 자기만의 구조를 함께 만들어갑니다. 그것이 바로 '성격 발달 과정'입니다.

성격 발달은 일생 동안 계속 이루어집니다. 성인이 된 이후에도 어떠한 경험이나 환경 변화로 인해 성격이 조금 바뀌기도 하고, 더 나은 발전을 위해 스스로 최선을 다해 성격을 바꾸고자 노력하기도 합니다. 다만 자연스러운 발달 과정에서 성격 발달이 집중적으로 이루어지는 시기가 있습니다. 범위를

넓혀 크게 이야기하자면 36개월 무렵부터 성인기 초기까지입니다. 성인이 되는 문 앞까지 아이의 경험과 아이를 둘러싼 환경은 매우 중요합니다. 어떠한 방식으로 타인과 어울리며 자신을 정의하고 세상에 반응할지 중요한 핵심을 만드는 단계이지요.

아이마다 타고나는 다섯 가지 기질

그런데 여기에서 주목해야 할 것은 성격이 아무것도 없는 상태에서 만들어지는 것이 아니라는 점입니다. 아이는 성격 발달에 필요한 원재료를 이미 가지고 있습니다. 우리는 그것을 '기질'이라고 합니다. 타고난 기질에 따라 영유아는 세상에 반응하는 방법에 일관성을 가집니다. 하지만 아이가 보이는 기질적 특성은 완성형이 아닙니다. 성격 발달이라는 작품을 만들기 위한 재료라고 볼 수 있어요. 똑같은 기질로도 다른 성격이 됩니다.

기질을 블록으로 비유해볼까요? 기질은 하나하나의 블록 조각으로 볼 수 있어요. 어떤 아이는 빨강 블록이 많고, 노랑과 초록 블록은 적게 갖고 있습니다. 또 다른 아이는 파란 블록과

노랑 블록이 많고, 빨강과 초록 블록은 적게 갖고 있습니다. 자기가 가진 블록으로 이리저리 쌓다 보면 각자 자기만의 작품을 만듭니다. 이게 바로 성격입니다. 어떤 아이는 자동차 모양을, 어떤 아이는 성 모양을 만들 거예요. 이렇게 블록을 쌓는 단계가 바로 성격 발달 과정이고요. 타고난 기질을 바꿀 수는 없지만, 강점을 살리고 행동을 조절하는 법을 배우며 더 좋은 성격을 만들 수 있습니다. 아이가 '성격'이라는 작품을 만드는 동안 양육자는 훌륭한 조력자가 되어줄 수 있답니다.

아이의 기질을 이해하면 무엇이 좋을까요?

- 우리 아이 맞춤형 육아법을 찾을 수 있습니다.
- 아이가 보이는 행동의 원인을 알고, 긍정적인 변화를 이끌어낼 수 있습니다.
- '나 때문인가?'라는 양육자의 죄책감은 줄이고, 자신감은 높일 수 있지요.
- 아이와 양육자 사이에 발생할 수 있는 갈등을 예측할 수 있습니다.
- 아이에게 필요한 걸 알고 있으므로 시간 대비 효율적인 육아를 할 수 있어요.

토마스와 체스의 기질 모형

흔히 기질을 인터넷에서 검색하면 '까다로운 기질', '순한 기질', '느린 기질'로 분류되는 토마스와 체스의 분류법(Thomas & Chess, 1977)이 나옵니다. 그 외에도 기질을 관찰하고 측정할 수 있는 검사는 많습니다. 여러 기질 연구에서 공통으로 많이 등장하는 기질 다섯 가지를 소개해보면 다음과 같습니다.

1. 자극 추구 – 호기심 많은 탐험가

새로운 자극을 좋아하고, 새로운 환경에서 강한 호기심을 보입니다. 행동력, 멈출 수 없는 열정과 자유분방함 등이 특징입니다. 자극 추구 특성이 높은 아이들은 새로운 것에 대해 관심이 많고, 생각을 빠르게 행동에 옮깁니다. 충동적이고 무절제한 부분도 있지요. 신이 나면 주체가 안 될 만큼 과도한 열정을 표출하기도 합니다. 반복되는 활동에는 쉽게 싫증을 내요. 자신만의 방법을 찾아 다양한 시도를 하고 싶어하죠. 에너지가 워낙 많다 보니, 양육자가 체력적으로 힘에 부친다고 느끼실 거예요. 새로운 자극을 만나면 흥분도가 높아져, 아이를 기다리게 하거나 집중하도록 만드는 게 어렵기도 할 거고요.

하지만 다른 아이들보다 능동적이라 많은 것을 경험하고 배울 수 있는 게 장점입니다. 창의력을 발휘할 수 있는 잠재력도 많이 갖고 있어요. 반면 자극 추구 특성이 적은 아이들은 새로운 것보다 자신의 주된 관심 영역에서 많이 활동하는 편입니다.

2. 위험 회피 – 신중한 안정주의자

낯선 자극이나 환경에 대해 불안이나 두려움을 느끼는 특성입니다. 그래서 위험 회피 특성이 높은 아이들은 아무리 신나고 재미있어 보여도 처음 마주하는 자극이나 환경을 두려워하고 걱정이 많은 편이며 적응하는 데 충분한 시간이 필요한 편입니다. 객관적으로 봤을 때 무섭거나 두려운 자극이 아닐지라도, 아이는 낯설다는 이유로 두려워할 수 있어요. 낯가림도 심할 거고요. 그렇다 보니 전반적인 에너지 수준이 낮습니다. 환경에 적응하는 데 에너지를 많이 쓰니까요. 또래 아이들과 같은 강도의 활동을 해도 쉽게 지치고 짜증 내는 이유도 그래서입니다.

대신 신중하고 조심성이 많다는 장점이 있습니다. 뭔가를 시작할 땐 적응하기까지 오래 걸리지만, 익숙해지면 누구보다 안정적으로 해나갈 수 있습니다. 성장 과정에서 성취 경험이 쌓이고, 자신의 감정을 스스로 조절할 수 있게 되면 아이의 강점이 더 빛날 것입니다.

반면 위험 회피 특성이 적은 아이들은 낯선 것에 대한 두려움이나 저항이 적고 쉽게 시작할 수 있지요. 다만 긴장도가 낮으니 안전사고에 취약할 수 있고, 미리 준비하거나 대책을 세우기가 어려울 수 있습니다.

3. 사회적 민감성 – 눈치 빠른 사교왕

타인과의 친밀한 관계, 타인의 승인과 인정에 대한 민감함과 관련된 특성입니다. 사회적 민감성이 높은 아이들은 타인과 친밀한 관계를 맺고 소속되기 위해 노력하며 다른 사람의 인정과 칭찬, 감정 상태 등에 민감한 편입니다. 그러다 보니 소위 말하는 눈치가 빠릅니다. 규칙도 잘 지키고, 다른 사람에게 친근하게 대하는 등 사회적 행동을 잘합니다. 감수성이 풍부하고 감정 표현도 잘하지요.

그런데 그만큼 눈치를 많이 보기도 합니다. 눈치를 보다 보면 주변에 휘둘리기 쉬워 자기가 원하는 것을 선택하지 못할 수 있습니다. 그러다 보면 아이 내면에 욕구 불만이나 스트레스가 쌓일 수 있습니다. 반면 사회적 민감성이 적은 아이들은 타인과의 관계, 친밀감, 인정에 민감하지 않고 자신의 욕구와 감정 위주로 독립적인 선택을 하거나 적절한 거리를 두는 편입니다.

4. 몰두 성취 ─ 최고가 되고 싶은 완벽주의자

어떠한 일을 빠르게 시작하고 꾸준히 반복하거나 잘되지 않아도 재시도하며 몰두하는 특성입니다. 집단 내 최고가 되고 싶어 하는 성향이지요. 목표 자체가 매우 높고 완벽주의 성향이 있어 실제 성취도도 높습니다. 반면 융통성이 별로 없고 실패했을 때 좌절도 심한 편이라 스트레스에 취약한 편입니다.

몰두 성취가 낮은 아이들은 실패하면 금방 다른 활동으로 전환하며 승패나 완벽에 대한 욕구가 높지 않아 유연하고 융통성 있게 대처하는 모습을 보입니다.

5. 감각 민감 ─ 창의적인 예술가

시각, 청각, 후각, 촉각, 미각 등 감각에 대해 민감한 특성입니다. 같은 공간과 상황을 경험해도 훨씬 더 감각적 자극을 느낍니다. 감각 민감 특성이 높은 아이들은 감각적인 자극의 변화를 빠르게 눈치채고, 불편한 자극에 대해 민감한 반응을 보

5가지 기질

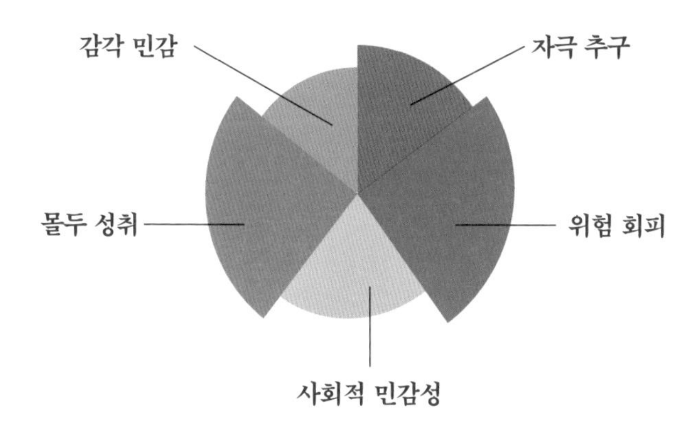

입니다. 다소 까다롭다 느껴질 수 있지만 예민한 만큼 남들이 느끼지 못하는 것을 잘 발견합니다. 창의적인 성향도 높아 예술 분야에 재능도 많습니다.

반면 감각 민감이 적은 아이들은 감각적 자극에 민감하지 않아 특별한 불편이나 요청 사항 없이 잘 수용하는 편입니다.

간단하게 해보는 기질 테스트

우리 아이는 어떤 기질 특성이 높은지 간단히 알아볼까요? 정확한 판단을 위해서는 보다 체계적이고 방대한 검사를 해야 하지만, 간이 체크리스트를 통해 우리 아이의 기질을 한 번 찾아보세요. 아이는 여러 가지 기질을 동시에 갖고 있고, 어떤 기질이 특별히 좋거나 나쁜 것이 아니라는 것을 기억해주세요.

아래 아이들의 행동 특성을 볼 때, 특히 사회적 민감성에 해당하는 행동이 많이 나타나는지 적게 나타나는지 살펴보면, 이후 사회성 발달을 위한 양육 가이드를 적용하는 데 도움이 될 것입니다.

#자극 추구

① 새로운 장난감, 새로운 환경에서 아이는 신나고 흥분되어 보인다.
② 같은 활동이나 방법을 반복하면 쉽게 지루함을 느끼는 것 같다.
③ '기다려'라고 이야기해도 하고 싶은 것이 있으면 잘 참지 못한다.
④ 새로운 자극이 주어졌을 때 적극적으로 만져보며 탐색하려고 한다.
⑤ 한번 신이 나고 흥분하면 그 활동을 멈추고 끝내는 것이 쉽지 않다.
⑥ 원래의 방법이 아닌 다양하고 특이한 방법으로 놀이하려

고 한다.

⑦ 또래 아이들보다 활동하는 범위가 넓은 편이다.

#위험 회피

① 어린이집, 유치원과 같은 새로운 장소에 적응하는 것이 또래보다 더 오래 걸린다.

② 처음 해보는 것을 시도할 때는 두려워하거나 위축되는 편이다.

③ '만약에', '이렇게 되면 어떻게 하지?'와 같은 걱정을 많이 한다.

④ 똑같은 활동을 해도 다른 아이들보다 쉽게 지치고 피곤해 하는 편이다.

⑤ 위안을 주는 인형이나 베개, 엄마의 신체 일부 등을 좋아하며 집착하는 편이다.

⑥ 새로운 장소에 가면 주저하거나 부모 옆에 있는 편이다.

⑦ 낯선 사람을 별로 좋아하지 않고 친해지기까지 오래 걸리는 편이다.

#사회적 민감성

① 그림책 등을 보며 주인공의 감정에 관해 이야기하거나 쉽

게 동요되곤 한다.

② 자연, 분위기, 날씨 등 다양한 외부 자극에 대해 자신의 느낌을 자주 이야기한다.

③ 다른 사람과 친밀하게 지내기 위한 행동을 적극적으로 하는 편이다. (물건 주기, 신체 접촉 등)

④ 친구들의 이름이나 특징, 행동에 대해 자주 이야기하는 편이다.

⑤ '엄마 화났어요?' '아빠 기분이 안 좋아요?'처럼 상대의 기분을 살피는 표현을 자주 한다.

⑥ 엄마 아빠의 미묘한 갈등을 금방 눈치채고, 이를 해결하기 위한 행동을 하기도 한다.

⑦ 역할 놀이, 이야기 놀이, 상상 놀이 등 '마치 ~인 것처럼' 행동하는 놀이를 좋아한다.

#몰두 성취

① 놀이를 하다가 생각처럼 잘되지 않아 실패해도 여러 차례 같은 시도를 반복한다.

② 퍼즐, 레고, 블록 등의 놀이를 선호하는 편이다.

③ 한번 무언가에 집중하면 아이를 부르거나 질문해도 잘 듣지 못하는 경우가 있다.

④ 무언가를 시작하면 다른 활동(끝내기, 외출하기 등)으로 전환하기가 어렵다.
⑤ 이기고 싶은 욕구가 강하고 실패하면 많이 속상해하거나 화를 내기도 한다.
⑥ 그림을 그리거나 글씨를 쓸 때 선이 삐져 나가거나 서툰 것을 못 견뎌 한다.
⑦ 잘할 수 있을 것 같은데 부모나 교사에게 대신 해달라고 요청하는 행동을 한다.

#감각 민감

① 일상적으로 먹는 음식에서 특정 맛이나 냄새를 뚜렷하게 느끼고 거부한다.
② 엄마 아빠의 외모가 바뀌거나, 집 안의 가구가 조금만 바뀌어도 잘 알아차린다.
③ 주의를 기울이지 않는 이상 쉽게 들리지 않는 특정한 소리를 싫어하거나 괴로워한다.
④ 모래, 슬라임 등 특성 촉감이 있는 재료들을 싫어하고 거부한다.
⑤ 일상에서 발생할 수 있는 소리(청소기, 드라이기, 개 짖는 소리 등)에 민감하게 반응한다.

⑥ 식성이 전반적으로 까다로운 편이다. 특히 음식의 질감에 도 민감하게 반응한다.

⑦ 특정한 재질이나 모양의 옷, 의류에 있는 딱지 등에 민감하게 반응하며 거부한다.

좋은 기질, 나쁜 기질은 없다

아이는 여러 가지 기질 특성을 동시에 가지고 있습니다. 다양한 기질 블럭을 다양한 조합으로 가지기 때문에 아이마다 고유한 특성이 있는 것이지요. 그래서 아이가 태어나서 약 3년 정도 성장하는 동안 아이가 새로운 자극과 환경, 대인관계에서 어떠한 모습을 보이는지 충분히 관찰하면서 특성을 파악하는 것이 중요합니다.

기질은 특별히 좋거나 나쁜 것은 없습니다. 그러나 대부분 양육자는 아이의 기질이 성격으로 발달하는 과정에서 고민을 많이 하게 됩니다. 아직 '성격'으로 완성된 것이 아니고, 발달하는 과정에 있기에 아이의 타고난 기질은 '날것'처럼 보이고 부정적인 부분이 더욱 도드라지게 보이니까요.

예를 들어 새로운 자극이나 환경에 대한 호기심이 많고 적극적인 행동으로 옮기는 자극 추구 기질의 아이는 상황과 규칙에 따라서 멈추고 절제하는 것이 아직 부족할 수 있습니다. 그래서 아이가 가진 열정과 적극성과 같은 강점은 잘 보이지 않고, '아이가 왜 이렇게 조심성 없고 부산스러울까?' 하고 단점에 대해서만 고민하기 쉽습니다. 하지만 양육자가 어떻게 기질을 이해하고 도와주는가에 따라 자기 혼자 성격을 만들어가는 경우보다 훨씬 더 약점을 보완한 성격이 될 수 있습니다. 자극 추구 기질의 아이도 어떤 경험을 하는가에 따라, 상황에 따라 규칙을 지키고 절제할 수 있으면서도, 자신의 고유한 강점인 적극성과 열정도 가지고 있는 성격의 어른으로 성장할 수 있습니다.

아이가 가진 기질 특성은 부모에게 사회성 고민을 안겨주기도 합니다. 아이가 사회적 상황에서 문제를 마주하고 반응하는 방식은 기질 특성과 상당히 관련이 높기 때문입니다.

예를 들어 자극 추구 특성과 사회적 민감성 특성이 두드러지게 높은 아이를 볼까요? 아이는 새로운 자극이 있는 환경에서 너무 신이 나고 흥분할 가능성이 높습니다. 평소보다 훨씬 흥분된 행동을 보일 수 있지요. 게다가 사회적 민감성이 함께 높기에 사람에 대한 호기심과 반응도 굉장히 강하고 적극적일 수 있습니다. 특히 친밀감이 두드러진다면 상대방이 부담스러워할 만큼 적극적으로 다가갑니다. 친구가 싫다고 하는데도 달려가서 과격하게 안거나, 친밀감의 표현으로 지나친 장난을 치기도 하지요. 친밀함을 표현하고 싶은 것이 잘못은 아닙니다. 다만 어떻게 친밀한 관계를 맺으면서도 상대방을 배려하고 예의 있게 행동할 수 있는지 배우는 것이 아이에게 중요한 사회성 과제가 될 수 있습니다. 이것을 양육자가 도와줘야 하고요.

아이가 사회적 민감성은 낮으면서 동시에 성취 몰두는 높은 아이도 있겠지요? 이런 기질의 아이는 다른 사람과 관계를 맺고 감정을 주고받으며 상호작용하는 것보다 자신이 '꽂힌' 것에 몰두하고 높은 성취욕을 나타낼 수 있습니다. 경쟁에만 몰두한 나머지 다른 사람의 입장을 생각하지 못하거나, 이기고 잘하는 것이 중요해서 실패했을 때 아쉬운 감정을 예의 없는 행동으로 표현할 수도 있지요. 이러한 아이의 부모는 어떻게 다른 사람의 감정을 살피고, 실패를 인정하는 법과 그 감정을 잘 표현하는 법을 어떻게 가르쳐야 할지 고민하게 됩니다.

시작할 때 등장한 아이 사례도 마찬가지입니다. 아이의 모든 특성을 알 수 없지만, 다른 건 몰라도 위험 회피 특성이 많은 아이라 예상됩니다. 이런 특성이 두드러지는 아이는 새로운 사람, 자극, 환경에 적응하기까지 시간이 오래 걸리고 처음에는 걱정하고 불안해할 수 있습니다. 아이는 일정 시간이 지나면 잘 해낼 수 있지만, 그때까지 부모는 다른 아이들과 비교하면서 아이가 사회적 상황에서 자꾸 밀리고 뒤처진다고 느낄 수 있지요. 이런 기질 특성이 아이의 소심한 성격으로 굳어질까 봐 걱정을 합니다.

기질 따라 키워줘야 할 사회성 역량이 다르다

기질이 아이가 이미 가지고 있는 재료라면, 성격은 아이가 다른 사람과 함께 살아가면서 이 사회 안에서 다듬어지는 최종 작품입니다. 그렇기에 기질이 비슷하더라도 최종적으로 아이가 어떤 성격을 가진 아이로 성장하는가는 전혀 다를 수 있습니다.

예를 들어 자극 추구와 사회적 민감성의 특성이 모두 많은 아이는 새로운 경험과 대인관계 모두에 적극적이고 열정적인 성격으로 성장할 수 있습니다. 무엇이든 빠르게 배우고 리드하는 강점을 가질 수 있지요. 하지만 똑같은 기질 특성을 가지고 있다 하더라도, 자신의 호기심과 욕구를 뒤로 미룰 줄 모르고, 친밀하고 싶어서 지나치게 선을 넘는 무례한 성격을 가진 사람으로 자랄 수도 있습니다.

아이가 성장하는 과정에서 자신에 대해 어떻게 지각하고, 어떤 행동을 배우고 연습하는가에 따라 성격은 얼마든지 달라질 수 있지요. 아이가 어떤 성격 발달을 이루었는가는 다른 사람들과 함께 살아가면서 타인에게 어떻게 비춰지고 어떤 마찰과 갈등을 만들며, 어떻게 문제를 해결하는지에 영향을 줍니다. 즉 성격 발달은 사회성과 밀접한 관계가 있습니다. 아이의 기질을 토대로 건강한 성격 발달을 돕는다면, 그 과정은 곧 사회성 발달을 돕는 과정과 연결됩니다.

자기 자신과 잘 지내야 남들과도 잘 지낼 수 있다

그렇다면 아이의 건강한 성격 발달을 돕기 위해 양육자는 무엇을 해야 하는 걸까요?

우선 우리는 아이의 타고난 성격적 특성인 기질은 바꿀 수 없다는 것을 기억해야 합니다. 기질은 아이의 생물학적이고 자동적인 반응이므로, 부모가 원하는 대로 조정할 수 없습니다. 위험 회피 성향이 높아 새로운 것을 보고 두려워하는 아이에게 "너 두려워하지 마"라고 가르친다고 해서, 아이가 두려워하지 않게 되는 것이 아니라는 뜻입니다. 하지만 '두려워도, 시도해볼 수 있는 아이'는 될 수 있습니다. 내가 두렵다는 것을 이해하고, 그래도 해낸 경험이 많다는 것을 기억해내고 '해보는 행동'으로 선택할 수 있습니다. 이것이 기질은 바꿀 수 없지만 성격 발달은 다르게 할 수 있다는 의미입니다. 필요한 행동을 선택할 수 있게 우리는 도울 수 있는 것이지요.

다음으로 건강한 성격의 두 가지 요인을 모두 충족시킬 수 있도록 도와주어야 합니다. 바로 '자기 자신과 좋은 관계'를 맺고, '다른 사람과도 좋은 관계'를 맺는 것입니다. 한쪽으로 지나치게 기울어진 성격은 건강하다고 보기 어렵습니다. 너무 자기애에 빠져 있거나 지나치게 타인 지향적인 경우, 둘 다 좋은 성격이라고 할 수 없지요.

먼저 '자기 자신과 좋은 관계'를 맺기 위해 아이는 있는 그대로 수용받는 경험을 해야 합니다. 아이의 잘못된 행동을 받아주라는 것이 아닙니다. 아이가 가지고 있는 고유한 특성이 부정되지 않는 것을 의미합니다. 기질적인 특성으로 인해 아이가 느끼는 감정은 어떻게 할 수 없는 고유한 아이의 것입니다. 새로운 자극이 신나지 않고 두려운 마음이 더 많이 드는 아이에게 "아, 낯선 것을 해야 해서 두려운 마음이 드는구나?"라고 말해줄 수 있어야 합니다. 부모가 이렇게 수용을 해주면 아이가 자기 자신을 조금 더 편안하게 받아들이고, 이런 모습도 저런 모습도 모두 '나'라고 이해할 수 있습니다. 높은 수준의 자기 이해와 수용받은 경험은 아이가 자기 자신을 좋아하고 편안하게 느끼도록 도와줍니다. 즉 '자기 자신과 좋은 관계'를 맺도록 도와줍니다. "처음 하려면 무서운 마음이 들 수 있어. 그런데 비슷한 것을 너는 해본 적이 있어, 한 번 더 도전해볼 수 있을까?"라고 지지해준다면 아이는 자기 자신을 편안하게 수용받은 상태에서 더 빠르고 안정적으로 다른 행동을 선택할 수 있게 됩니다. 이것이 성장이고, 좋은 성격의 발달로 이어지는 것이지요.

다음으로는 '다른 사람과 좋은 관계'를 맺는 방법을 배우도록 양육자가 도와주어야 합니다. 아이가 가진 기질 특성이 어떠하든지, 다른 사람과 좋은 관계를 맺으려 할 때 어려움을 주는 면이 반드시 있습니다.

예를 들어 새로운 자극과 환경에 대한 두려움이 두드러지는 아이는 신중하고 규칙을 잘 지키는 강점을 가지고 있지만, 한편으로는 낯선 곳에 적응하는 것을 어려워하고 사람들과 관계를 맺는 것을 거부할 수 있습니다. 한 번의 도움으로 아이가 빠르게 바뀔 수는 없습니다. 거듭 설명했듯 아이가 가진 특성은 그렇게 쉽게 바뀔 수 있는 부분이 아니기 때문입니다.

하지만 아이가 다른 사람과 좋은 관계를 맺는 경험을 계속할 수 있도록 격려하고 구체적인 방법을 가르쳐주며 연습시킬 수는 있습니다. "민준이와도 처음 만날 땐 힘들었지만 이제는 너무 좋은 친구잖아?", "너는 새로운 친구와도 즐겁게 논 적이 있어"라고 아이가 이미 경험했던 성공을 떠올리게 도와줄 수도 있고, "시간을 조금 가지고 지켜보다가 인사만 나누어보자"와 같은 작은 도전을 제안할 수도 있습니다. 아이가 편안하게 생각하는 소수의 친구와의 작은 관계를 반복적으로 경험하면서 내면의 힘을 키우도록 시간을 줄 수도 있지요.

사회성 발달의 키워드, 사회적 민감성

아이가 가진 고유한 특성은 나 다르고 성격 발달의 과정도 각각 다르기에 이 과정에 사회성 발달을 위해 꼭 배우고 연습해야 할 '사회성 과제'도 저마다 다릅니다. 풀어야 하는 숙제가 다르다는 뜻이지요. 어떤 아이는 기다리는 것을 배워야 하고, 어떤 아이는 용기 내서 말하는 것을 연습해야 합니다. 또 다른 아이에게는 다른 사람의 감정에 대해 배우는 것이 과제가 되기도 합니다.

그래서 아이의 사회성 발달을 돕기 위한 첫 번째 과정은 '아이의 특성을 잘 관찰하는 것'입니다. 아이의 특성도 잘 모르면서 무작정 달려드는 것은 마치 나무에 대해 잘 알아보지도 않고 그저 햇빛과 물이 나무에 좋다고 생각해서 흠뻑 주는 행동과 같습니다. 특성에 따라 햇빛이 필요한 나무도 있고 서늘한 그늘이 필요한 나무도 있습니다. 필요한 물의 양도 다 다르지요. 사회성 발달은 모든 아이에게 필요하지만 어디에 중점을 두고 도와주어야 하는가는 아이가 가진 특성에 따라 다릅니다. 가장 필요한 것을 알고 접근해야 사회성 발달도 제대로, 효율적으로 할 수 있습니다. 그래서 부모가 아이의 특성, 기질을 잘 관찰하고 파악해야 합니다. 아이가 새로운 자극이나 환경에 어떤 반응을 보이는지, 새로운 사람에게는 또 어떤지, 무언가를 선택하고 몰두하는 과정에서 어떤 모습을 보이는지, 다른 자극 때문에 얼마나 방해받는지 등을 중심으로 살펴보아야 합니다.

특히 '사회적 민감성'이라는 기질 특성에 주목하여 아이의 행동을 잘 파악해보는 것을 권합니다. 아이가 다른 사람과의 관계에서 어느 정도의 민감함을 가지고 있으며 영향을 받는지를 파악한다면 사회성 발달을 위한 구체적인 도움을 줄 수 있습니다.

또 부모의 눈으로만 보는 것이 아니라 어린이집, 유치원 등 다양한 상황과 환경에서 아이가 어떤 행동을 보이는지 알아보는 것이 좋습니다. 선생님과 협력적인 관계를 맺으면 학부모 상담 등을 통해 좀 더 수월하게 파악할 수 있겠지요.

다랑쌤의 솔루션

사례 1 "아는 사람에게도 인사를 잘 못해요."

"저희 아이는 기질적으로 두려움이 많은 건지, 부끄러움이 많은 건지 모르겠어요. 새로운 것에 적응하는 데 시간이 오래 걸리고 자주 보는 사람에게도 인사를 잘 못해요. 이런 아이의 성향이 사회성에 영향을 줄까 봐 걱정됩니다."

아이의 불안과 긴장을 충분히 수용하면서 도전을 지지해주세요.

수줍어하는 아이의 행동을 단순히 부끄러워하는 것으로 생각하는 양육자가 많습니다. 그보다 훨씬 높은 강도의 '긴장감'으로 생각하는 것이 좋습니다. 낯선 사람 또한 새로운 자극이기에 두려움과 불안한 마음이 생기고 경직된 행동을 보이는 것이지요. 억지로 다가가도록 급하게 재촉하는 것은 아이를 오히려 스스로 발을 내딛지 못하고 움츠러들게 만들 수 있습니다.

흔히 아이에게 "뭐가 쑥스럽다고 그래", "이건 부끄러운 게 아니야"라며 달래주거나 문제를 빨리 해결해주려고 하는 시도를 하게 됩니다. 이러한 부모의 반응은 나쁜 의도가 있는 것은 아니지만, '별거 아니야'라고 말한다고 해서 아이의 마음이 진정되거나 달라지는 것이 아님을 기억해야 합니다. 오히려 '나는 정말 긴장되고 부끄러운데 왜 별거 아니라고 하지?'라는 의문을 아이의 마음에 남길 수 있습니다. 더불어 아이는 이러한 감정은 별거 아니며 나쁜 감정이므로 느끼지 말아야 한다고 스스로 억압하게 되기도 합니다. 두려움은 표현되어야 합니다. 그래야 아이가 스스로 '두려워하는 상황'이 무엇인지 인지할 수 있고, 양육자는 아이의 도전을 도와줄 수 있습니다. 아이가 입을 닫아버리지 않도록 주의해주세요!

또한 아이가 지나치게 새로운 관계를 많이 접하게 몰아세우기보다는 충분한 시간을 통해 하나, 둘 성공의 경험을 쌓아가도록 도와주는 것이 좋습니다. 특히 아이가 긴장이 줄어들고 새로운 상황과 관계에 적응했을 때는 "처음에는 두려워했지만 지금은 너무 즐겁게 지내네?"라고 아이의 변화를 스스로 인지하도록 이야기해주세요.

아이의 특성을 고려한 전략적인 경험을 제공할 필요도 있어요. 부산스러운 아이라면 규칙에 맞춰 기다리는 연습을 하고,

두려움이 많은 아이라면 도전하는 경험을 통해 스스로 다른 선택을 하도록 도와주는 것입니다.

나아가 아이가 자신의 강점을 인지할 수 있도록 반응해주는 게 좋습니다. 기질적인 특성에는 언제나 양면성이 있어요. 자극 추구 특성이 높은 아이는 산만하고 충동적으로 보일 수 있지만, 동시에 적극적이고 열정적인 면을 가지고 있지요. 아이가 산만한 행동을 보일 때도 무조건 칭찬하라는 의미는 아닙니다. 다만 때때로 "너는 무엇이든 적극적으로 하는 모습이 멋져"라고 이야기해주는 게 좋습니다.

사례 2 "너무 예민한 아이를 돌보는 것, 저도 지쳐요."

"아이는 아기일 때부터 무척 예민했습니다. 작은 소리에도 금방 깨고, 입맛도 까다롭고, 옷 촉감에도 민감합니다. 정말 뭐 하나 쉽지 않았어요. 그래도 아기일 때는 그냥 맞춰줬는데, 요즘은 정말 고민이 됩니다. 세상 사람들이 언제나 아이에게 다 맞춰줄 수 있는 것도 아닌데, 내가 어디까지 맞춰줘야 하는 건지. 이렇게 해도 되는 건지… 갈등이 생깁니다. 아이가 늘 짜증스럽게 말하니 저도 솔직히 화도 나고요. 예민한 아이 어떻게 대해야 할까요?"

아이의 예민함, 맞춰주는 것에서 시작해서 제한으로 가세요.

감각이 민감한 아이를 키우면 부모의 육아 피로도가 매우 높습니다. 정말 뭐 하나 그냥 쉽게 넘어가는 것이 없거든요. 어디까지 어떻게 맞춰줘야 하는지 아이가 자랄수록 더욱 고민하게 되지요. 대부분 양육자는 아이가 조금 불편해도 그냥 해보도록 하는 것을 권하게 됩니다. 부모가 아닌 다른 사람들은 이렇게 맞춰주고 해결해줄 수 없으므로 참아보는 것을 연습시키고자 하는 의도이지요.

"나 귤에 하얀 거 떼어 줘." "그냥 먹어봐."

"나 이 그릇 싫고 내 것 달란 말이야!" "이 그릇도 예뻐, 그냥 먹어봐."

"까끌까끌해서 싫어! 떼어주세요!" "이거 괜찮은 거야, 그냥 좀 입어봐."

이렇게 별것도 아닌 것에 까탈스럽게 구는 아이에게 그냥 한번 해보라고 이야기합니다. 그런데 아이의 입장에서는 어떨까요? 감각적으로 민감하다는 것은 창의적이고 다양한 감각을 다채롭게 느낀다는 강점도 되지만, 분명하게도 많은 불편함을 주기도 합니다. 아이는 느끼지 않아도 될 것을 느끼기 때문에 불편을 해소해달라고 호소하는 것입니다.

그런데 그때마다 돌아오는 대답이 언제나 거절이라면 어떨까요? '안 되는구나'라고 생각하기보다는 '왜 맨날 그냥 참아보라고 하는 거야?'라는 반발심이 드는 것이 자연스럽겠지요. 아이는 더욱 거칠고 강하게 표현하게 됩니다. 울고 짜증 내고 떼를 쓰지요. 이런 경우, 결국엔 아이가 원하는 대로 해주는 방식으로 끝나게 됩니다. "어휴. 정말 못살아" 하면서 귤 속껍질을 떼어주고, 그릇을 바꾸어주며, 옷에 붙은 상표를 잘라주지요. 아이로서는 좋게 이야기해서는 해결되지 않으며, 안 되는 것도 짜증을 내고 고집부리면 결국 해결된다는 생각이 굳어지게 됩니다. 결과적으로 아이의 비협조와 떼를 강하게 만들게 되는 것이지요.

"선생님, 아이의 예민한 기질 어디까지 맞춰줘야 하나요?"

저는 우선 맞춰줄 수 있는 것은 다 맞춰주라고 합니다. 왜냐하면 아이에게 좋은 방법으로 표현하면 해결할 수 있는 것과 아무리 불편해도 내가 참고 조절해야 하는 것이 구분된다는 것을 알려주기 위함입니다. 부모가 해결해줄 수 있는 문제라면 아이에게 예쁜 말로 잘 요청하는 것을 가르치고 불편을 해소하도록 도와주는 것이 좋습니다. 그래야 아이는 불편을 해소하는 방법을 알게 됩니다.

하지만 결국 부모가 해결해줄 수 없는 부분이 있습니다. 바로 그럴 때 분명한 제한과 대안을 제시하는 시도를 해야 합니다. "엄마 아빠가 네가 불편한 것을, 최선을 다해 도와주었지? 그런데 이 음식 말고 다른 음식은 여기에 없어", "낯설고 불편하지만 먹어보거나, 아니면 배가 고프더라도 끝난 후 나가서 다른 것을 먹을 때까지 기다려야 해"라고 명확하게 선을 그어주어야 합니다.

아이가 감각적으로 민감한 기질 특성을 가진 것은 잘못이 아닙니다. 아이가 스스로 어떻게 조절할 수 있는 부분도 아니지요. 하지만 해결하는 방법을 배우고 적용하는 것, 그리고 상황에 따라 어쩔 수 없는 것이 있다는 것을 알고 조절하는 것은 성격 발달의 과정에서 아이가 배워야 하는 부분입니다. 이것을 먼저 구분하고 아이에게 적용하는 것이 양육자의 역할입니다.

아이가 가진 기질로 좋은 성격 만들기

1. 아이 행동을 먼저 관찰합니다.

아이의 기질을 파악하려면 부모가 개입하지 않는 상황에서 아이가 어떤 행동을 하는지 잘 관찰하는 것이 중요합니다. 부모가 요청하거나 이끌어버리면 자연스럽게 아이가 새로운 자극이나 환경에 대해 반응하는 모습을 볼 수 없기 때문입니다.

2. 새로운 환경에서 어떻게 반응하나요?

아이가 새로운 자극, 환경, 사람을 만났을 때 어떻게 행동하고 적응하기까지 어느 정도의 시간이 걸리는지를 살펴보세요. 이를 통해 아이의 자극 추구/위험 회피/사회적 민감성의 정도를 짐작해볼 수 있습니다.

3. 잘 안 되면 반복해서 시도하는 아이인가요?

아이가 감각적인 자극에 얼마나 섬세하게 반응하는지, 그리고 무언가를 하다가 잘 되지 않았을 때 여러 번 반복하는지 아닌지를 살펴보세요. 이를 통해 아이의 감각 민감과 몰두 성취의 정도를 짐작해볼 수 있습니다.

4. 모든 기질은 장단점이 있습니다.

모든 기질 특성은 양면성이 있습니다. 즉 강점과 약점이 동시에 존재하는 것이지요. 자극 추구가 높은 아이는 산만하고 충동적으로 느껴질 수 있지만 동시에 호기심이 많고 적극적인 모습을 가지고 있습니다. 부모가 언제나 아이에게 좋은 말만 해주는 것은 불가능합니다. 하지만 아이가 가진 특성의 긍정적인 측면도 이야기해주세요. 아이가 자기 자신을 어떻게 평가하고 느끼게 되는지에 영향을 줍니다.

5. 기질은 바꿀 수 없지만, 표현 방법은 선택할 수 있어요.

부모가 할 수 있는 것은 기질을 바꾸는 것이 아니라, 선택할 수 있는 힘을 길러주는 것입니다. 위험 회피가 높은 아이를 두려움을 느끼지 않는 아이로 바꾸기란 어렵습니다. 하지만 두려움을 느껴도 해보는 것을 선택하는 아이가 되도록 도울 수는 있습니다. 양육을 통해 바꿀 수 있는 것과 없는 것을 구분하는 것이 필요합니다.

6. 자존감이 사회성 발달의 기본입니다.

자기 자신에 대한 긍정적인 이해와 이미지를 갖는 것은 자신감에도 영향을 줍니다. 내가 나 자신과 좋은 관계를 맺는 것은 사회성 발달의 시작이며 기본입니다. 이를 토대로 타인을 지나치게 회피하거나 의존하지 않는 건강한 사회성 발달이 시작됩니다. 아이가 자기 자신에 대해 다양하고 건강한 상을 만들어가도록 도와주세요!

04

거절 못 하는 아이, 사회성 발달 전략

문제가 없는 아이일수록 해결해야 할 문제가 있다

"아이는 친구들과 잘 지내는 편입니다. 크게 갈등을 일으키거나 고집을 부리는 일이 없습니다. 그런데 저는 아이가 또래와 어울리는 모습을 보고 있으면 가끔 너무 심란합니다. 아이가 친구들에게 거절을 잘 못해요. 제가 보기에는 자기가 원하는 게 있는데 말하지 못하고 친구가 하자는 대로 끌려가는 것처럼 보여요. 제가 도와줄 수 있는 방법 없을까요?"

"집에서와 밖에서의 아이 모습에 차이가 너무 큽니다. 밖에서는 사람을 너무 좋아하고 잘 따라요. 선생님과 상담해보니 원에서는 아주 모범적이고 친구들과도 너무 잘 지낸다고 합니다. 하지만 집에 오면 짜증도 많이 내고 고집불통일 때가 많아요. 아이가 이렇게 달라도 되는 건지, 아이가 사회성이 좋은 거라고 생각하고 그냥 편안하게 생각하면 되는 건지 헷갈리네요."

집에서만 고집불통인 아이, 어떻게 도와줄까?

상담에서 부모님들이 자주 묻는 질문 두 가지입니다. 두 경우 모두 아이가 또래 친구나 선생님 등 다른 사람들이 있는 곳에서는 큰 문제 상황을 만드는 일 없이 잘 지낸다는 공통점이 있지요. 아이가 양육자 앞에서 짜증을 내거나, 종종 자기표현을 하지 못해 끌려가는 것처럼 보여도 양육자는 쉽게 개입하지 못합니다. 아이가 특별히 '문제'를 만들지는 않기 때문이지요.

하지만 이 글을 함께 읽어온 독자분들은 이제 이런 상황이 더 이상 '사회성이 좋은 모습'이 아니라는 것을 잘 알고 있습니다. 사회성은 '내가 원하는 것을 다른 사람과 함께하는 것'이며 관계 안에서의 문제 해결력이라는 것을 알게 되었기 때문이지요. 그렇다면 앞서 나온 고민처럼 또래와 잘 지내지만, 끌려가는 것처럼 보이는 아이, 밖에서는 잘 지내지만, 집에서는 고집불통인 아이들은 왜 그런 행동을 하는 걸까요? 그리고 이런 특성을 가진 아이들의 사회성을 어떻게 도와줘야 할까요?

우리는 앞서 기질 특성과 성격 발달, 그리고 사회성의 연결고리에 관해 이야기했습니다. 그러면서 저는 모든 아이가 전부 똑같은 사회성을 배우고 연습해야 하는 것이 아니라 아이의 특성을 고려하여 전략적인 배움과 연습을 하도록 도와줘야 한다고 제안했습니다.

사회성 발달 전략을 짤 때 모든 기질 특성을 다 고려하면 좋지만, 가장 기본이 되면서 중요한 요인은 바로 '사회적 민감성'입니다. 사회적 민감성은 타인과의 친밀한 관계, 타인의 승인과 인정에 대한 민감함과 관련된 특성입니다. 그래서 사회적

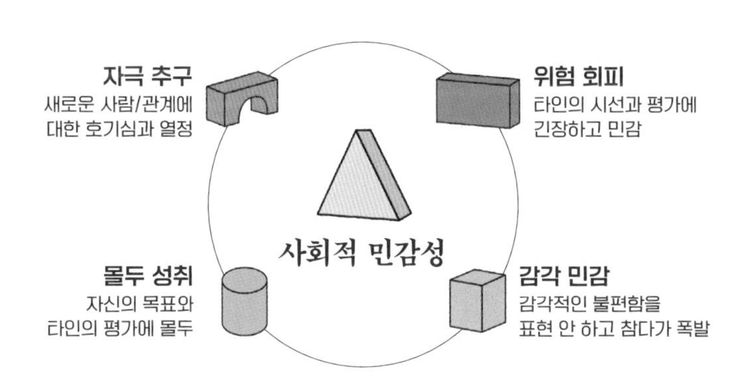

민감성이 높은 아이들은 타인과 친밀한 관계를 맺고 소속되기 위해 노력하며 다른 사람의 인정과 칭찬, 감정 상태 등에 민감한 편입니다.

이런 이유로 사회적 민감성이 높은 아이들은 소위 '말 잘 듣는 아이'가 많습니다. 눈치껏 상황에 맞는 행동, 칭찬받을 만한 행동을 잘합니다. 어린이집, 유치원, 학교 등에서 친밀한 관계를 맺는 것에 대한 관심이 많으니까요. 그리고 다른 사람이 지금 어떻게 느끼는지와 무엇을 원하는지 본능적으로 알아챕니다.

하지만 아이가 하는 행동이 곧 아이가 원하는 행동이라고 생각하면 곤란합니다. 아이는 더욱 친밀감을 유지하고 칭찬받을 수 있는 방식으로만 행동할 가능성이 높으니까요. "서연이가 양보해주니까 참 고맙다", "서연아, 민서가 너무 우니까 한 번만 기다려줄까?" 사람들이 무심코 하는 칭찬에도 아이는 영향을 받습니다. 자기의 욕구는 참으면서 남에게 칭찬받을 행동만 하게 되기 쉽습니다.

제가 연구할 때 유치원 아이들의 자유 놀이 시간을 관찰할 기회가 많았습니다. 보통은 아이들이 해야 하는 개인 학습을 하고 먼저 마무리가 되면 남는 시간 동안 조용히 자기가 하고 싶었던 놀이를 하도록 자유시간을 주곤 하는데요. 야무진 모범생 아이가 그날도 열심히 자기가 맡은 것을 해냈습니다. 빨리 마치고 아까 하던 블록 쌓기를 계속하고 싶어 하는 것 같았어요. 그런데 아이가 "선생님 저 다했어요!" 하자마자, 선생님이 말씀하셨어요. "하은이 너무 빠르게 잘 마쳤구나! 너무 잘했어! 혹시 하은이가 잘하니까 규민이를 조금 도와줄 수 있을까?" 아이는 선생님의 말씀에 따라 친구를 도와주었습니다. 블록 놀이는 하지 않았습니다.

물론 하은이는 평소에도 남을 잘 도와주는 아이였고, 누군가를 돕는 것은 분명히 좋은 일입니다. 아이가 배우는 것도 많습니다. 하지만 매번 자기 욕구를 억누르고 타인의 요청을 들어주는 것은 문제입니다. 사회적 민감성이 낮은 아이들은 선생님의 요청에도 불구하고 자기가 원하는 놀이를 하러 갈 수 있습니다. 반면, 사회적 민감성이 높은 하은이는 오늘 선생님의 요청 때문에 자기가 원한 놀이를 포기해버린 것이지요. 이때 다시 한번 아이를 칭찬하는 것은 아이가 더욱 자기표현을 쉽게 하지 못하도록 하는 '입막음'이 될 수 있습니다.

사회적 민감성이 높은 아이가 다른 기질도 높을 때

아이의 기질적 특성은 다양한 요인으로 구성돼 있으므로 사회적 민감성이라는 한 가지 요인만으로 아이의 모든 행동을 설명할 수는 없습니다. 따라서 사회적 민감성이 높은 아이의 특성을 다른 기질적 특성과 연결해서 살펴보면 아이의 마음을 더 자세히 이해하는 데 도움이 됩니다.

1. 자극 추구 특성이 높은 아이

아이에게는 새로운 자극과 환경만큼이나 사람도 호기심을 자극하는 즐거운 존재입니다. 이런 아이를 '화려한 아이'라고도 합니다. 이 아이 주변이 반짝반짝 빛나고, 사람과 사물을 바라보는 아이의 눈빛과 행동도 반짝반짝 빛나기 때문이지요. 사람을 좋아하는 만큼 대인관계에서 적절한 거리감을 유지하는 데 서툽니다. 그래서 '나는 이렇게 친구가 좋은데 왜 친구는 나를 별로 좋아하지 않는 거야?'라며 서운해하거나 상처를 받기도 합니다. 서운한 마음에 무례한 행동이 나오기도 합니다. 어떻게든 상대와 친하게 지내고 싶은 마음에 지나친 스킨십(안기, 뽀뽀하기 등)을 하거나 어른에게 반말하며 무리한 부탁을 하는 식으로요.

2. 위험 회피가 높은 아이

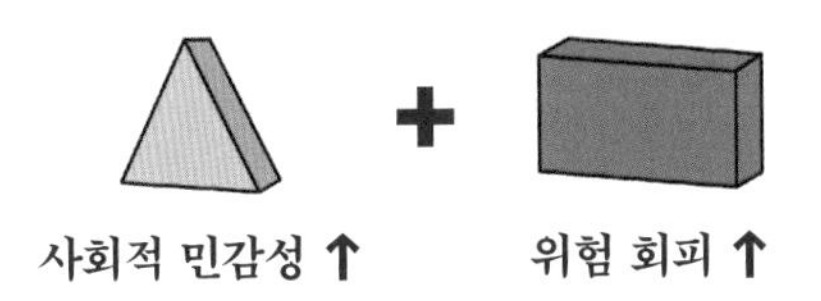

위험 회피 특성이 높은 아이는 낯선 환경이나 자극에 노출되면 긴장합니다. 이때 사회적 민감성까지 높으면 다른 사람이 나를 어떻게 보고 있는지에 대해 민감하게 반응하죠. 그래서 평소에는 잘하던 것도 낯선 사람 앞에서는 너무 긴장해서 제대로 못하는 경우도 많습니다.

이런 특성을 역으로 이용하자면 낯선 환경에 적응하기 위해 친구나 선생님처럼 친밀한 관계에 있는 사람이 단 한 명이라도 있으면 훨씬 더 수월하게 적응합니다. 반면에 그렇지 못한 상황에서는 적응이 더뎌지고, 아예 도전 자체를 꺼리게 될 수 있습니다.

잘하던 것도 낯선 사람들 앞에서 너무 긴장한 나머지 얼어붙듯 아무것도 하지 못하는 모습을 보이기도 하지요.

3. 성취 몰두의 특성이 높은 아이

이 아이들은 대인관계에서 인정받고 싶은 욕구가 매우 높습니다. 다른 사람과 좋은 관계를 맺고 친밀감을 느끼는 것은 물론이고, 그 사람에게 인정받고 싶은 마음에 해당 과업에 몰두하고 반드시 이뤄내겠다는 성취 욕구까지 더해지기 때문이죠. 이러한 특성은 아이에게 도전 의식을 불러일으키는 강력한 동기가 됩니다. 하지만 뜻대로 되지 않으면 더 크게 절망하기도 합니다. 그러다 보면 성과가 나지 않을 것이 뻔한, 익숙하지 않은 일은 시작조차 하지 않을 수도 있습니다. 무엇이든 잘하는 모습을 보여주고 싶으니까요.

4. 감각이 민감한 아이

감각이 민감하다는 것은 같은 자극과 환경 내에서도 더 많은 불편함을 느낄 수 있다는 것을 의미합니다. 그래서 양육자에게 더 많은 요구를 할 수 있습니다. 그런데 감각이 민감한 아이가 사회적 민감성도 동시에 높으면 불편함을 표현하고 요청하는 것보다 그냥 맞추고 따라가는 것을 선택할 가능성이 높습니다. 그냥 맞추고 따르다 보면 당연히 어떻게 나의 불편을 표현하고 요청하는지 방법을 배우기가 어렵고, 어느 날 쌓였던 불평불만이 한꺼번에 폭발할 수도 있습니다.

사회적 민감성이 높은 아이의 사회성 과제 5단계

이렇게 사회적 민감성을 중심으로 다양한 기질 특성을 묶어 살펴보면 특정 부분에서 사회적 민감성의 부정적인 측면이 더욱 강화되거나 잘못된 방법으로 표현되는 것을 볼 수 있습니다. 그렇다면 이렇게 사회적 민감성이 높은 아이들이 건강하게 사회성을 기르기 위해서는 어떻게 도와주어야 할까요?

사회적 민감성이 높은 아이들의 사회성 발달을 위한 핵심 과제는 나의 욕구를 알고 불편한 타인의 요구를 거절하는 힘을 기르는 것입니다.

1단계) 내가 원하는 것을 인지하기 – 아이에게 이 말만은 하지 마세요. "싫으면 싫다고 말해."

양육자 눈에는 친구에게 끌려가는 것 같은 아이의 모습이 답답할 수 있습니다. 하지만 그렇다고 아이에게 "너도 싫으면 싫다고 말해"라고 지적하는 것은 피해주세요.

아이는 친구가 하자는 대로 하기 싫어도 '나는 친구가 하자는 대로 하기 불편하다'라는 자신의 감정 자체를 깨닫지 못하는 경우가 많기 때문입니다. 심지어 아이가 자신의 싫은 마음을 인지했는데도 친구의 마음을 상하지 않게 하려고 따라가는 행동을 하기도 합니다.

이런 경우, 아이가 깨닫고 스스로 말하게 하는 과정이 중요합니다. 아이에게 "엄마 아빠는 네가 아까 다른 걸 하고 싶어하는 줄 알았는데 아니었니?", "아까 친구랑 놀면서 불편한 것은 없었어?"라고 질문해주는 것부터 시작하세요. 아이가 별로 불편하지 않았다고 이야기하면 "그렇구나, 혹시 다음에는 네가 더 하고 싶은 것이 있어서 아쉬운 마음이 들면 말해줘" 정도로 마무리해도 좋습니다. '너 정말 괜찮아?' '네가 원하는 건 뭐야?'라고 아이의 마음을 노크하는 과정이라고 생각하면 됩니다.

2단계) 아이의 선택할 기회를 보장하기 – 오늘은 네가 다 정하는 다정 데이(day)!

아이가 자기 마음대로 선택하지 않고 다른 사람의 선택을 따라가는 경우, 이런 아이에게는 당당하게 선택할 수 있는 자리를 마련해주는 것이 필요합니다. 어린이집이나 유치원에서는 교실 내 규칙으로 어느 정도 적용이 될 수 있습니다. 그런데 가장 중요한 선택 연습 환경인 가정에서는 보통 더 강한 특성을 가진 형제자매에게 밀리는 경우가 많이 발생합니다. 그러므로 일부러 이 아이에게 선택할 수 있는 힘을 주어야 합니다. 가령 '민준이의 시간', '윤아의 다정 데이' 등을 지정하여 아이가 자유롭게 활동을 선택하도록 하고 나머지 구성원이 따르는 것이지요. 일주일에 하루, 2~3시간으로 한정해도 되고 한 달에 한 번 토요일 오후 등으로 정해도 좋습니다.

연령이 좀 더 높아지면 가족이 함께할 수 있는 활동의 예산까지 정해주고 계획해보도록 할 수 있습니다. 사회성 연습과 더불어 경제 관념과 계획성까지 배울 수 있지요. 또한 적당한 크기의 상자를 주고 아무도 만지지 않기를 바라는 물건을 선택하게 도와주고, 아이가 선택한 한 상자만큼은 잘 지켜주는 것을 권합니다. 그래야 아이는 내 것을 적절히 챙기고 또 다른 사람에게 양보도 할 수 있는 여유가 생깁니다.

3단계) 아이에게 거절하는 권리 주기 – 오늘은 내 맘대로 노노 데이(NoNo day)!

아이가 또래 관계에서 거절을 잘하지 못하면 연습을 시키는 분들이 많습니다. 마치 친구인 것처럼 어른이 상대를 하면서, "싫어, 난 안 할 거야" 하고 소리내어 연습하게 하는 것이지요. 물론 안 하는 것보다는 도움이 되겠지만, 실제 상황에서 아이가 실행할 가능성이 매우 낮습니다.

아이는 거절을 해보고 그 거절이 잘 수용되는 경험을 반복적으로 해야 합니다. '거절하기'를 가장 안전하게 연습할 수 있는 상황은 부모와 아이 사이입니다. 또래나 선생님의 반응은 우리가 예측하거나 통제할 수 없으니까요. 아무리 연습시키고 아이가 실제로 "난 사실 하고 싶지 않아"라고 말하더라도, 그 말이 효과가 없거나 오히려 아이에게 미안함이나 불편함을 준다면 아이는 다시 거절하는 것을 어려워하게 됩니다.

그렇다고 아이에게 언제나 거절할 권리를 주라는 말은 아닙니다. 아이가 거절해도 되는 상황일 때 아이에게 말해주세요. 예를 들어 주말 오후 가족이 잠깐 나갈까 말까 고민하는 상황처럼 크게 중요한 일이 아니라면 아이에게 권한을 줘보세요. "이 문제는 네가 거절할 수 있어. 민준이가 원하지 않으면 나가지 않을 거야" 했는데 아이가 "정말 싫다고 해도 돼?"라고 말한다면 좋은 기회입니다. 아이에게 거절할 수 있다고 다시 한번 이야기해줄 수 있으니까요. 아이가 가정에서 거절해보고, 받아들여지는 경험을 하다 보면 밖에서도 거절할 수 있습니다.

가정에서 '거절'을 해보는 것은 거절의 의미를 다시 생각하는 기회가 됩니다. 거절하는 것을 어려워하는 아이는 반대로 거절당하는 것에 대한 두려움도 큽니다. 그런데 내가 엄마 아빠를 싫어해서가 아니라, 내가 원하는 것이 엄마 아빠와 다르기 때문에 거절하는 경험을 하면, 아이는 반대로 자신이 경험하게 되는 거절에 대해서도 이전과는 다른 의미를 부여할 수 있게 됩니다. '거절이 꼭 내가 싫다는 의미는 아니구나', '엄마와 아빠, 친구는 이걸 원하는 거구나'처럼 타인의 욕구를 이해할 수 있는 지점이 생기게 되는 것이지요.

특히 아이가 거절할 때 부모가 수용해주면서 "아! 너는 엄마 아빠랑 시간을 보내고 싶지만, 나가는 건 싫다는 거구나? 맞니?"라고 감정에 대해서 한 번 더 짚어주세요. 반대로 아이에게 거절해야 하는 상황에서 "엄마 아빠도 너와 시간을 보내고 싶지만 지금 이건 할 수 없어서 안 된다고 한 거야"라고 맥락을 이야기해줄 수도 있습니다. 이러한 대화는 아이가 또래 관계에서 발생하는 다양한 거절과 거절당함에 대해 보다 유연한 마음을 갖게 합니다.

4단계) 거절당했을 때 설득하기 – "거절을 거절한다! 한 번 더 생각해줘."

사회적 민감성이 높은 아이들은 거절당하는 것에 취약합니다. 거절당할까 봐 말하지 못하거나, 거절당했을 때 상처받는 경우도 많습니다. 그래서 아이에게 거절할 수 있는 기회를 주듯 적당히 거절당하는 연습도 가정 안에서 하는 것이 필요합니다.

시작은 직접적인 거절보다는 '아이에게 설득하는 기회를 한 번 더 준다'는 개념으로 접근해보시길 권합니다. 아이가 "엄마 아빠 나 게임을 하고 싶어요"라고 요청했을 때, 허락할 수 있는 상황이라도 바로 "그래" 하지 않고 약간의 거절을 담아 기회를 주는 것이지요. "음… 글쎄, 꼭 게임하고 싶은 이유를 하나 더 이야기해서 엄마 아빠를 설득해볼래? 그럼 한 번 더 생각해볼게"라고 말입니다.

이는 아이로 하여금 상대방이 꼭 yes나 no로 대답하는 것이 아니라, '내가 설득함으로써 결과를 바꿀 수 있구나!'라는 새로운 관점을 갖게 합니다. 친구에게 거절당했을 때 속상해하는 아이를 위로하고 공감하는 것도 중요하지만, 가정 안에서 거절하고 거절당하고 설득하는 연습을 하다 보면 아이에게 자기표현을 하는 힘과 거절을 극복하는 힘이 생겨납니다.

5단계) 거절당했을 때, 사람 사이의 마음 거리 배우기 — 너와 나 사이엔 사랑도 있지만, 거리도 있단다

사회적 민감성이 높아 친밀감을 표현하는 아이의 행동도 서툴지만, 이런 호의를 거절하는 또래 아이들의 행동도 서툴기는 마찬가지입니다. 거칠게 거절할 수 있어요. 이때 사회적 민감성이 높은 아이는 자신이 준 마음만큼 돌려받지 못해 속상해할 수도 있고, 어떻게든 친밀감을 형성하고 싶은 마음 때문에 과하거나 무례한 행동을 할 수도 있습니다. 아이의 속상한 마음을 알아주고 달래주는 것도 중요하지만, 상대를 불편하게 했을 때 사과하는 것도 중요합니다. 아이가 꼭 배워야 하는 것이지요.

이럴 때, 사람마다 마음 집이 있는데 집과 집 사이가 먼 친구도 있고, 다른 친구 집과 가까운 친구도 있다는 것을 설명해주는 게 어떨까요? 이때 두 팔을 벌리고 좁혀 크기를 다르게 표현하거나 인형 등을 사용하여 시각적으로 설명해주는 것도 효과적입니다. 처음에는 이런 개념을 받아들이기 어렵지만, 나와 타인의 차이를 이해하고 수용하는 단계이므로 포기하지 않고 반복하는 것이 좋습니다.

그리고 친구의 마음 집을 노크하는 방법도 알려주세요.

예를 들면 천천히 다가가기, 와락 달려들어 안지 않기, "같이 놀고 싶어"라고 말하기 등입니다.

사회적 민감성 높은 아이를 훈육할 때, 특별 조심!

보통 아이가 사회적 민감성 특성이 높으면 부모가 좀 더 아이의 행동을 다루기가 수월합니다. 사회적 민감성 특성이 높은 아이들은 상황 파악도 빠르고 부모의 감정에도 민감해서 부모에게도 양보와 협조도 잘하니까요.

그런데 이런 상황에 익숙해지면, 부모는 아이가 원하는 것에 무심해지기 쉽습니다. 아이의 욕구나 감정은 자꾸 나중으로 미루는 것이죠. 이때 조심해야 합니다. 아이가 잘 맞춰주고 협조해주었다고 해서 아이가 아무렇지도 않은 것은 아닙니다. 언젠가 잠깐 미뤄두었던 감정이 갑자기 폭발해버리기도 합니다. 부모로서는 '얘가 갑자기 왜 이렇게 고집을 부리지?' '별거 아닌 일로 왜 이렇게 울고 떼를 쓰지?'라고 생각할 수 있지만, 아이의 입장에서는 참고 참다가 터져버린 행동일 수 있습니다.

아이의 떼를 무조건 받아주라는 것이 아닙니다. 아이가 갑작스러운 떼와 울음이 많아졌다면 그 상황만 보고 아이를 훈육하는 것에만 집중하지 말고, 아이가 일상생활에서 제대로 표현하지 못하고 참거나 다른 사람에게 맞춰주는 일이 너무 많은 것은 아닌지 반드시 살펴보라는 뜻입니다. 훈육은 그냥 아이를 혼내는 것이 아니니까요. 아이 안에 엉켜 있는 감정이 있다면 전후 상황을 살펴봐주는 것도 부모가 해야 하는 중요한 일입니다.

사회적 민감성이 높은 아이 중에서도 다른 사람과 가깝고 친하게 지내고 싶은 욕구가 유독 많은 아이가 있습니다. 이런 아이들은 굉장히 적극적이고 밝고 친화적이며 어른이나 또래 할 것 없이 누구하고나 잘 지내고자 노력합니다.

하지만 마음을 표현하는 경험이 부족하기에 무례하거나 선을 넘는 행동을 하기도 합니다. 친해지고 싶은 마음에 툭툭 치거나, 과도한 장난을 하는 경우 등이지요. 이러한 행동은 '안 되는 행동'이라는 것을 명확하게 전달하며 훈육하는 것이 중요합니다. 이때 반드시 함께해주어야 하는 것은 친밀함의 표시를 이렇게 말고 '어떻게' 표현해야 하는지, 어떤 행동은 절대로 해서는 안 되는지를 분명하게 구체적으로 알려주는 것입니다. 친밀함을 표현하는 '대안 행동'을 알려주지 않으면 비슷한 행동을 또 반복하게 될 수 있기 때문이에요. "갑자기 달려들어서는 안 돼", "삼촌과 아무리 친하고 싶어도, '야! 너!'라고 말해서는 안 돼", "'손잡아도 돼요?'라고 물어봐야 하는 거야"와 같이 구체적인 말과 행동을 알려주어야 한다는 것을 기억해주세요.

아이의 기분을 상하지 않게 하는 훈육이란 사실 불가능합니다. 훈육은 어찌 되었든 아이에게 잘못된 것을 가르쳐서 알게 하는 데 목적이 있고, 아이의 욕구를 제한해야 하는 상황이기 때문입니다. 사회적 민감성이 높은 아이를 키우는 부모님들이 아이를 훈육하는 것을 어려워하는 경우를 종종 봅니다. 밖에서 친구들에게 많이 치이는 아이라 감싸주고 싶은 마음도 있고, 아이가 쉽게 시무룩해지거나 눈치껏 행동을 바꾸기 때문에 '꼭 훈육을 별도로 해야 할까?'라는 생각에 주저하는 경우가 많습니다. 하지만 훈육은 부모가 해야 하는 중요한 의무이며, 안 되는 행동에 대해서는 "안 돼"라고 정확하게 언어로 짚어주는 것이 필요합니다.

대신 훈육의 마무리를 깔끔하게 잘 해주세요. 훈육 시간이 너무 길어지거나 훈육을 마친 후에도 아이에게 냉랭한 태도를 보이면 아이는 이 상황을 훈육이 아닌 '부모님이 나를 미워하는 상황'으로 인지하게 됩니다. '내가 잘못한 것을 어떻게 다른 행동으로 바꿀 것인가?'라는 메시지는 남지 않고, 부모와 관계가 틀어진 줄 알고 전전긍긍하며 눈치를 보게 되지요. 그래서 사회적 민감성이 높은 아이일수록 훈육을 깔끔하게 하고, 훈육이 종료되었을 때는 "이제 끝! 이 행동은 안 되기 때문에 엄마, 아빠가 너를 훈육한 거지 너를 사랑하는 것에는 변함이 없어"라고 말해주는 것이 좋습니다.

사례 1 "싫으면 싫다고 하라 해도, 괜찮대요. 정말 괜찮을까요?"

"아이가 유치원에서 또래에게 너무 치이는 것 같아요. 우연히 하원시키다가 아이들이 노는 것을 보았는데, 고집이 세고 성격이 강한 한 아이가 유독 우리 아이에게 거칠게 행동했어요. 저는 너무 속상한데 어떻게 하면 좋을까요?"

아이가 불편함을 스스로 인지하는 것이 우선입니다.

부모의 속상한 마음 때문에 성급하게 아이에게 "너도 싫다고 말해!"라고 말하게 되면 아이는 오히려 당황스러워하며 싫지 않다고 부정할 수 있습니다.

그래서 아이가 스스로 불편함을 깨닫도록 도와주는 과정이 필요합니다. 예를 들어 명확하게 다른 친구가 강요하는 상황을 발견했거나, 아이와 이야기를 나눌 수 있게 된다면 "너는 그때 지성이가 하자는 대로 하고 싶었어? 네 마음은 어땠니?"

라고 질문해주세요. "그걸 너도 하고 싶었어?"라고 간단하게 물어봐도 좋아요.

처음에는 아이가 불편했다고 하더라도 불편했다고 편하게 털어놓지는 않습니다. "괜찮았어"라고 대답하고 넘어갈 수도 있습니다. 또는 정말 내가 그걸 원했는지 원하지 않았는지조차 잘 몰라서 대답하기 어려워할 수 있습니다. 그럴 경우 "아~ 그랬구나. 다음에 혹시 생각해보고 하고 싶지 않다는 마음이 들면 이야기해줘!" 정도로 마무리하고 넘어가는 것이 좋습니다. 강요하지 않고 다음 기회를 기다리는 것이지요. 보통은 여러 차례 이런 질문이 부드럽게 반복되면 아이는 속마음을 조금씩 이야기합니다. 자신의 마음을 뒤늦게 깨닫게 되었거나, 부모에게 말해도 되겠다는 안전함을 느낄 때 말문을 열게 되지요.

아이가 자신의 입으로 "나는 사실 하기 싫었어", "나는 다른 것이 하고 싶었어", "속상했어" 등의 표현을 해야 합니다. 아이의 또래 관계는 아이의 것이지 양육자의 인간관계가 아니기 때문입니다. 부모로서 느끼는 마음으로 성급하게 접근하면 아이는 제대로 배우는 것 없이 상황에 끌려가게 되고, 같은 상황이 반복되면 같은 행동을 반복할 뿐입니다. 자기 생각과 상관없이 진행되는 부모의 행동이 부담스러워 말문을 닫을 수도 있고요. 아이가 자신의 마음에 대해 생각해보도록 도울 수는 있지만, 아이가 부모에게 기회를 주어야 개입할 수 있답니다.

사례 2 "친구 말에 쉽게 상처받는 아이, 방어 능력을 키워주고 싶어요."

"친구가 하는 말에 쉽게 상처받는 아이 때문에 고민입니다. 아직 여섯 살밖에 안 되었는데도 또래 중에 말을 거칠게 하는 아이들이 있더라고요. 친구가 '뚱땡이'라고 했다고 하루 종일 저에게 칭얼거리더라고요. 괜찮다고, 그런 말은 신경 쓰지 말라고 해도 아이에게는 큰 도움이 되지 않는 것 같아요. 제대로 방어도 못 하면서 상처만 많이 받는 아이, 어떻게 도와주면 좋을까요?"

친구의 놀림과 공격에 대응할 수 있는 말을 구체적으로 알려주세요.

영유아기 아이들의 사회성은 누구나 다 부족합니다. 공격적이고 거친 행동을 많이 하는 아이와 제대로 표현하거나 방어하지 못하는 아이들의 특성 차이가 있는 것일 뿐, 다른 사람의 입장을 고려하거나 문제 상황을 잘 대처하는 능력은 모두 부족하지요. 아이가 다른 사람의 말에 쉽게 영향을 받고 필요한 방어를 제대로 하지 못할 때, 양육자의 마음은 참 답답합니다.

내 친구 관계면 당장 달려가서 화라도 낼 텐데 아이들끼리의 문제이니 매번 직접 나서기도 어렵고요.

우선 아이가 속상한 마음을 표현할 때 여기에 대해 부모가 더 감정적으로 동요되거나 흥분된 태도를 보이지 않는 것이 중요합니다. "그런 말 듣고 왜 가만히 있었어?", "너는 뭐라고 했어!?"라고 다그치듯 물어보면 아이는 다른 비슷한 상황이 벌어졌을 때, 부모에게 속상한 마음을 털어놓는 것을 싫어할 수 있습니다. 아이가 학령기에 이르면 우리가 볼 수 없고 개입할 수 없는 상황을 더 많이 만나게 될 텐데 아이가 우리에게 말하지 않는다면 아이에게 적절한 도움을 줄 수 없게 됩니다. 아이의 말문을 막는 행동만큼은 최대한 자제하는 것이 중요한 이유입니다.

앞으로 그런 상황에서 아이가 할 수 있는 분명한 언어 표현, 또는 행동 방식을 아이에게 제안해주세요. "만약 또 그 친구가 그런 말을 하면 너는 어떻게 말하고 싶어?"라고 아이가 상황을 되감아 생각할 기회를 먼저 주세요. 만약 아이가 어려워한다면 "'그래서 그게 뭐?', '그렇게 놀리는 게 더 이상한 거야!' '이렇게 말해보는 건 어때?'" 하고 제안해볼 수 있습니다. 아이가 부모의 제안을 별로 좋아하지 않는다면, "엄마, 아빠도 비슷한 친구가 있었는데 그때 나는 '그래서 뭐?'라고 무시하듯 이야기했어"라고 경험을 들려주듯 적절한 대응법을 알려주는 것도 좋습니다.

가장 중요한 것은 또래 아이들이 하는 말보다 부모가 해주는 말, 부모와의 관계가 아이에게는 더 강력한 영향을 준다는 점입니다. 취학 전 부모가 가질 수 있는 가장 강력한 무기이지요. 아이가 때때로 또래로부터 상처를 받더라도, 부모로서 가장 안전하고 따뜻한 대상이 되어주고 아이를 지지하는 말을 많이 들려주세요.

마음 약한 아이, 꼭 가르쳐야 하는 다섯 가지

1. 내가 원하는 것 인지하기

아이는 "네가 하고 싶은 대로 해"라고 해도 자기가 뭘 원하는지 알지 못할 때도 많습니다. 원하는 것이 있어도, 그게 친구의 마음을 상하게 한다면 차라리 원하는 대로 하지 않는 것도 원하는 것이니까요. 말이 어렵나요? 아이도 둘을 구분하기 어렵습니다. 정말 내가 원하는 것이 무엇인지 구분할 수 있도록 다정하게 이야기를 이끌어주세요.

2. 원하는 것을 선택하기

아이가 정말 원하는 것이 무엇인지 알았다면, 그것을 선택할 수 있도록 도와주세요. 선택하는 것도 연습을 해야 하고, 선택한 것을 밝히는 것도 연습이 필요합니다. 아이에게 식사 메뉴나, 입을 옷 등 작은 것부터 선택하게 해주세요.

3. 가정에서 안전하게 거절하는 연습하기

상대의 제안이 내가 원하는 것이 아니라서 거절을 하는 것도 연습이 필요합니다. 거절해도 싸움이 나거나 관계가 끊어지지 않는다는 것을 경험하게 해주세요. 아이가 거절했을 때, “알았어. 안 할게”라고 순하게 반응을 해줄 사람은 일단 가족입니다. 가정 안에서 안전하게 거절하는 경험을 쌓게 해주세요.

---

4. 거절당했을 때 다시 한번 설득하기

거절당했다고 그냥 포기하지 않고 한 번 더 요청을 할 수도 있습니다.

아이가 상대가 거절하면 좌절하거나, 필요 이상으로 움츠러들지 않고 기회를 봐서 다시 한번 요청하거나 조율하는 경험을 하게 해주세요. 이 또한 가족 안에서 하면 좋겠지요.

---

5. 타인과 나의 마음 거리 이해하기

끝내 거절을 당해도 그것은 관계가 끝나는 것이 아닙니다. 사람마다 다른 사람을 대하는 온도가 다르고, 필요로 하는 자기만의 공간이 있다는 것을 알게 해주세요.

05

눈치 없는 아이, 사회성 발달 전략

사회적 민감성이 낮으면 공감 능력도 낮을까?

"아무리 아이라지만 가끔은 너무 이기적인 거 아닌가 싶어요. 한번은 원하는 장난감을 찾으려고 상자를 앞으로 빼다가 바로 옆에 있던 동생의 이마가 상자 모서리와 부딪혔어요. 동생이 울고불고하는 데도 아이는 신경도 안 쓰고 계속 장난감을 찾더라고요. 동생이 우는 게 안 보이나? 어떻게 저럴 수 있나? 아이는 정말 자기가 뭘 잘못했는지 모르는 것 같기도 해요."

"아이는 착하고 밝고 그런데, 좀 눈치가 없다고 해야 할까요? 장난치다가도 상대방이 불편해하는 것 같으면 멈춰야 하는데 다른 사람 기분은 안중에도 없습니다. 지금이야 다들 어려서 넘어가지만, 내년 초등학교에 가면 친구들에게 미움받을까 봐 걱정입니다."

사회적 민감성 낮은 아이가 다른 기질은 높을 때

아이가 눈치가 부족하고 다른 사람에게 공감하지 못하거나 이기적인 행동을 하는 데는 여러 가지 이유가 있습니다. 첫 번째로 아이의 나이가 어려서 그렇습니다. 타인의 입장을 이해하고 충분히 고려하여 적절한 행동을 하기 어려운 거죠. 걷기, 말하기와 같은 신체 및 언어 발달과 마찬가지로 사회적인 능력 또한 아이가 자라면서 단계별로 발달하기 때문입니다.

또한 아이의 타고난 기질 때문이기도 합니다. 특히 '사회적 민감성'이 영향을 많이 미칩니다. 사회적 민감성은 타인의 감정과 관계 그리고 다른 사람의 인정과 승인에 대한 민감함입니다. 그래서 사회적 민감성이 높은 아이는 누가 요구하지 않아도 다른 사람에게 칭찬받고 인정받을 만한 행동을 하거나 눈치껏 행동하지요. 그런데 이 특성이 낮다면 어떨까요? 감정이나 관계 맺음, 다른 사람에게 인정받는 것에 대해 별로 민감하지 않으니 어떤 행동을 할 때 타인이 큰 변수가 되지 않습니다. 관계를 유지하고자 하는 욕구보다는 내가 원하는 것을 하려고 하며, 다른 사람의 눈치를 보기보다는 독립적으로 의사결정을 하지요. 이런 성향이 안정적이라는 장점도 있지만 때로 '이기적인 모습', '눈치 없이 행동하는 모습'으로 여겨지기도 합니다.

사회적 민감성이 낮은 특성을 가진 아이가 다른 기질 특성과 연결되면 사회적 상황에서 보이는 행동도 달라집니다. 조금 더 자세히 살펴볼까요?

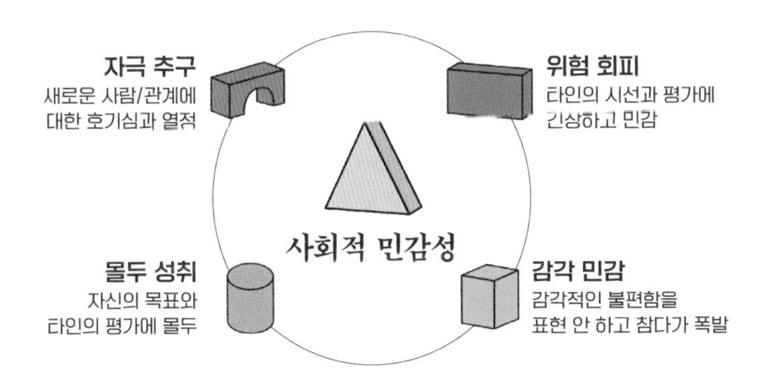

1. 자극 추구 특성이 높은 아이

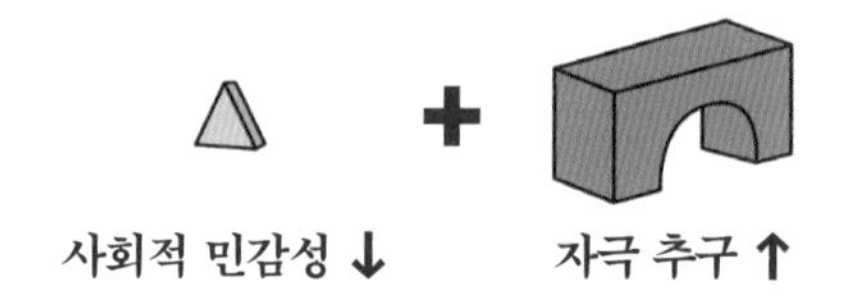

이 아이들은 새로운 사물과 자극, 환경에 대한 호기심이 많고 행동이 빠릅니다. 그에 비해 다른 사람의 감정이나 요구에 대한 민감함은 부족해서 타인의 반응이 아이 행동에 큰 영향을 주지 않습니다. 이러한 특성을 긍정적으로 보완하기 위해서는 다른 사람의 감정과 상황을 이해하고, 자신의 욕구를 조절하는 연습이 필요합니다.

2. 위험 회피가 높은 아이

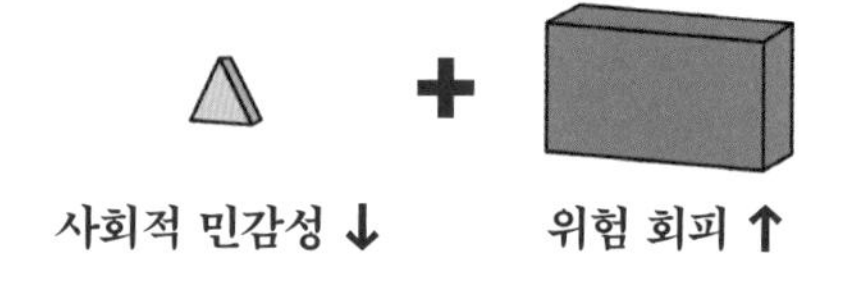

이 아이들은 새로운 자극이나 환경 변화에서 불안과 두려움에 압도됩니다. 보통 이럴 때 다른 사람의 정서적 지지를 받으면 도움이 되는데, 이 아이들은 사회적 민감성이 낮아서 타인

의 말이 거의 들리지 않습니다. 주변 사람들의 상황을 고려하지 않은 채 자신의 불편한 감정을 분출하는 모습을 보이기도 하지요. "무서울 때는 이렇게 생각해보자/이렇게 행동해보자"와 같은 구체적인 행동을 반복해서 배우고 적용하는 것이 필요하며, "두려운 마음이 들 수 있어. 하지만 다른 사람들에게 피해를 주기 때문에 소리를 질러서는 안 돼"라고 감정을 수용하면서도 명확하게 행동을 제한하는 반응을 해주어야 합니다.

3. 성취 몰두의 특성이 높은 아이

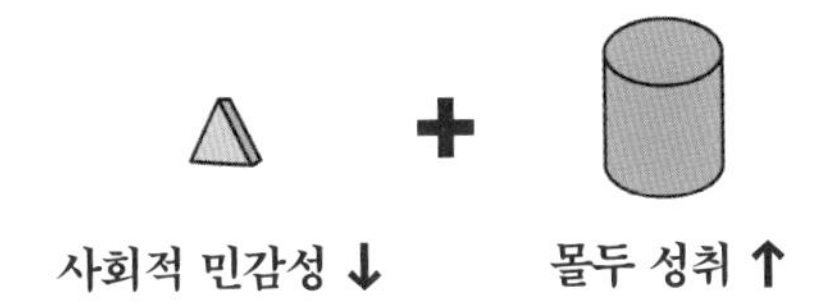

이 아이들은 자신의 관심사와 문제 해결에 몰두합니다. 잘하고 싶고 이기고 싶어 하는 마음도 크지요. 이런 욕구에 몰두할 때 아이는 다른 사람의 감정이나 입장을 잘 고려하지 못하므로 눈치 없고 융통성 없는 행동을 합니다. 내가 원하는 것을 해내고자 하는 특성은 매우 강점이지만, 다른 사람의 감정을 함께 고려하며 사회적으로 성숙한 태도를 취할 수 있게 도와주는 것이 필요합니다. 게임에서 졌을 때 어떻게 속상한 마음을 표현해야 하는지 구체적인 방법을 보여주거나, 네가 잘하고 싶은 것처럼 다른 사람도 잘하고 싶고 속상한 마음을 느낀다는 것을 반복적으로 가르쳐야 합니다.

4. 감각이 민감한 아이

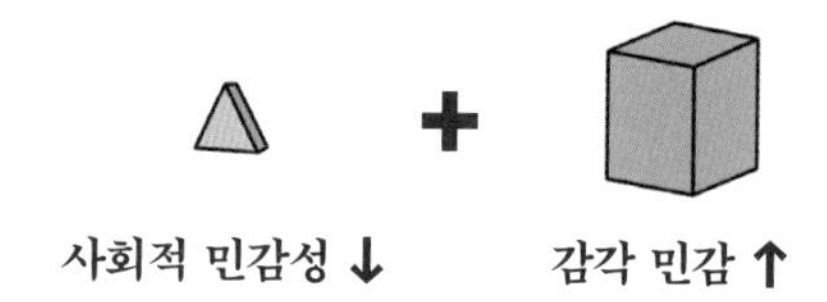

기본적으로 감각이 민감한 아이들은 불편함도 많이 느낍니다. 그래서 이런저런 요구가 많지요. 여기에 사회적 민감성이 낮은 경우, 아이는 불편함을 표현하고 요구할 때 자신의 감정에만 충실한 모습을 보일 수 있습니다. 때론 거칠고 강하게 표현하기도 하고요. 특히 시끄러운 소리나 서로 부딪치는 감각을 싫어한다면 친구들과 어울리는 것을 불편하게 여길 수도 있습니다. 부모 입장에서는 아이의 사회성이 걱정될 수밖에 없지요. 이런 아이들은 상대방이나 사회적 상황을 고려하여 감각적인 불편함을 표현하는 법을 배우고, 이를 통해 불편함이 해소되는 경험을 자주 해야 합니다.

아이가 떼쓰거나 울지 않고 불편함을 언어로 잘 표현하도록 가르치고, 그렇게 했을 때 가급적 빨리 불편함을 제거해주어야 합니다. "울지 않고 '떼어주세요'라고 말해보자" 하고 구체적으로 가르쳐주세요.

하지만 지하철의 큰 소리처럼 부모가 해결할 수 없는 자극이라면 "엄마 아빠가 할 수 있는 것은 도와주지만, 이건 그렇게 할 수 없는 거야. 우리가 잠깐 내렸다가 마음이 괜찮아지면 다시 타거나, 아니면 엄마 아빠랑 가위바위보 놀이를 하면서 여기에 집중해보는 방법이 있어!"라고 분명하고 단호하게 방향을 제안해야 합니다.

공감은 배우고 연습해야 하는 후천적 능력

많은 양육자가 "사회적 민감성이 낮으면 아이가 공감 능력이 부족한 건가요?"라고 물어보시곤 합니다. 그렇지 않습니다. 공감은 상대방의 입장에서 감정을 함께 느낄 수 있는 능력입니다. 공감은 배우고 연습함으로써 충분히 발달시킬 수 있고, 필요에 따라 적절하게 사용할 수 있는 후천적 능력입니다. 오히려 누구나 배우고 연습해야 하는 부분입니다.

사회적 민감성이 높다고 공감 능력이 좋은 것이 아닙니다.

사회적 민감성이 높으면 다른 사람과의 관계나 인정에 민감하고 영향을 받는다는 뜻이지, 다른 사람의 입장에서 생각하고 느끼는 힘이 없는 경우도 있으니까요. 반대로 사회적 민감성이 낮다고 해서 공감 능력이 부족한 것은 아닙니다. 다른 사람과 친밀한 관계를 맺거나 인정받으려는 욕구가 적더라도, 필요한 경우 상대방의 입장에서 이 상황을 어떻게 느낄지 생각하는 공감 능력은 높을 수 있습니다.

사회적 민감성이 낮은 아이들의 사회성 과제

사회적 민감성이 높은 아이를 키우는 양육자들은 아이가 사회성이 좋다고 많이 느끼지만, 사회적 민감성이 낮은 아이를 키우는 부모님들은 아이가 사회성도 부족할까 봐 걱정하는 경우가 많습니다. 하지만 사회적 민감성과 사회성은 별개의 문제입니다. 거듭 설명했듯 사회성은 내가 원하는 것을 다른 사람과 함께할 수 있는 힘, 바로 사회적 문제 해결력입니다. 사회적 민감성이 높아도 다른 사람의 상태와 인정에 민감한 나머지 내가 원하는 것을 표현하거나 거절하는 힘이 약하다면 사회성이 좋다고 할 수 없습니다. 그런가 하면 사회적 민감성이 낮은 아이는 무심하고 사회성이 부족해 보일 수 있지만, 내가 원하는 것과 다른 사람이 원하는 것을 조화롭게 할 수 있다면 사회성이 좋은 것이지요. 사회적 민감성이 낮은 아이도 타인에게 관심을 두고 적절한 사회적 행동을 하도록 가르치고 연습하면 됩니다.

사회성은 아이의 발달 연령과 기질 특성만으로 결정되는 것이 아닙니다. 아이에게 후천적으로 배움의 기회가 주어지고, 충분히 연습할 수 있는 환경이 중요합니다. 이때 아이의 발달 연령과 기질 특성을 고려하여 필요한 부분을 전략적으로 연습한다면 훨씬 유리하겠지요. 사회적 민감성이 높은 아이들에게는 선택이나 거절, 설득의 경험이 중요하듯이 사회적 민감성이 낮은 아이들에게는 자기 자신을 이해하고, '사회적 조망 수용 능력'을 높이는 것이 사회성 발달의 핵심 과제입니다. 사회적 조망 수용 능력은 사회적 관계를 인지하고, 다른 사람의 입장과 감정을 이해하는 능력입니다. 일종의 사회인지 발달이지요. (셀만의 사회적 조망 수용 능력 43쪽 참고)

과제 1. 아이가 자기 자신부터 이해해야 한다.

우선 아이가 자기 자신을 잘 이해하는 것부터 시작해야 합니다. 만약 아이가 자기가 뭘 원하는지, 자기감정은 어떤지 잘 이해하지 못하고 무딘 상태에 있으면 다른 사람을 이해하기란 더욱 어렵습니다. 사회적 상황에서 다른 사람의 입장을 고려하며 문제를 해결하기 위해 적절한 행동을 하기 위해서는 '사람들이 그런 것을 원한다. 나도 그렇다'라는 것을 이해해야 합니다.

아이의 강점을 자주 이야기해주는 것은 물론이고, 아이가 스스로 자신의 강점과 단점 그리고 좋아하는 것과 싫어하는 것 등을 생각하고 표현할 수 있는 기회를 많이 주세요. 자기 자신과 친하고 잘 지낼 수 있어야 그 뼈대를 기본으로 사회성이 단단하게 세워지게 됩니다.

과제 2. 행동을 고치기 위해 상황부터 다시 되감자.

아이에게 어떠한 상황이 발생했을 때, 그 상황을 다시 짚어주고 적절하게 수정된 행동을 경험시켜주는 것이 중요합니다. 이렇게 이미 일어난 상황을 다시 뒤짚어 생각하는 것을 '상황 다시 되감기'라고 합니다.

아이가 엄마 옆에 있는 상자에서 무언가를 찾기 위해 급하게 달려들다가 실수로 엄마가 쓰고 있는 안경을 쳐버렸어요. 엄마는 놀라기도 하고, 아프기도 합니다. 안경테도 틀어져버린 상태입니다. 그런데 아이는 엄마에게 사과도 하지 않고 상자에서 원하는 것을 찾느라 정신이 없습니다. 이럴 때 소리를 꽥 지르며 아이에게 화를 내고 싶은 마음은 백번 천번 이해하지만, 그렇게 해서는 아이가 더 나은 방향으로 나아갈 수가 없습니다. 오히려 사회성을 배우고 연습할 기회로 삼아봅시다. 그러기 위해서는 아이와 함께 상황을 되감아야 합니다.

① 상황 되감기

방금 일어난 상황을 되감아 살펴보는 대화를 나눕니다. "재민이가 무언가를 찾으려고 상자를 가지고 오려고 했지? 그러다가 어떤 실수를 했어?"라고 물어보세요. 아이는 "엄마 안경을 쳤어요"라거나 "몰라요"라고 대답할 수 있습니다. 만약 모르겠다고 하면, 물건을 찾으려다 엄마 안경을 쳤다고 설명해주면 됩니다.

② 타인의 감정 인지하기

아이에게 되짚어 물어보세요. "엄마는 가만히 있다가 얼굴을 부딪쳤어. 그 탓에 안경도 휘었고. 엄마 마음이 어떨 것 같아?"하고요. 아이가 잘 대답하지 못한다면 엄마가 느낀 감정을 말해주세요. "속상하고, 놀랐어. 네가 사과하지 않아서 화가 나기도 했어"라고요.

③ 수정된 행동 적용하기

이 상황에서 어떻게 해야 하는지 알려주세요. "네가 일부러 그런 것은 아니지만, 엄마가 아프게 된 것은 맞지? 그럼, 엄마에게 뭐라고 이야기해야 할까?"라는 식으로요. 아이가 "미안해요"라고 말한다면 이 상황을 다시 한번 반복해봅니다. "네가 손으로 엄마 안경을 쳤고, 엄마가 아야! 하고 소리쳤어. 이제 어떻게 해야 하지?"라고 묻는 거죠. 아이가 "엄마 미안해요"라고 말하면 "그래 잘했어" 하고 칭찬해줍니다. "누군가를 아프게 했다면 꼭 사과해야 하는 거야"라고 알려주세요.

중요한 것은 아이와 그 상황을 다시 되돌아 가서 되짚고, 해야 했던 행동이 무엇인지를 알려주는 과정입니다. 네가 의도가 있든 없든 어떠한 행동을 했을 때 상대에게 어떤 영향을 미치는지, 문제가 생겼을 때 해결하기 위해서 어떤 말이나 행동을 해야 하는지 실제 일어난 상황에서 생생하게 가르치고 넘어가는 것이지요.

과제 3. "네 덕분에 행복해" 아이가 만든 긍정적 감정도 알려준다.

사회적 민감도가 낮은 아이는 나의 행동으로 인해 타인이 느끼는 감정이나 상태를 민감하게 느끼지 못하는 경우가 많아서 자기 행동이 상대방에게 어떤 영향을 미쳤는지 자주 알려줘야 합니다.

그런데 이때 많은 양육자가 하는 실수가 있어요. 아이가 타인에게 준 부정적인 감정에 초점을 두는 것이죠. "네가 이렇게 해서 친구가 속상해 보였어." "네가 그렇게 말해서 엄마는 놀라고 화가 났어."

아이가 타인에게 영향을 미치는 것에는 긍정적인 감정도 많습니다. 이것을 함께 알려주는 것이 필요합니다. "네가 아까 놀던 것을 주니까 친구가 엄청나게 기뻐하는 것 같더라?" "네가 엄마에게 그렇게 말해줘서 행복해졌어." 아이가 다른 사람에게 미친 긍정적인 영향에 대해서도 함께 알려주세요.

과제 4. 감정에 대해 이야기하는 대화 방법

다른 사람의 감정을 알고 적절한 행동을 하기 위해서는 '감정' 자체를 이해해야 합니다. 자신의 감정과 친해지는 것부터 시작해야겠지요. 그런데 아이와 감정에 관한 대화를 나누는 것이 쉽지 않습니다. 대부분 양육자에게도 '감정'은 낯설고 어려운 주제이기 때문입니다. 그래서 일상 속에 감정에 대한 대화가 가볍게 반복되도록 하는 루틴을 만들어보면 좋습니다.

하원 후 만났을 때 아이에게 "오늘 뭐 했어?", "재미있었니?"

라는 질문도 좋지만 "오늘은 기분이 어때?"라는 질문을 넣어 매일매일 반복해보시길 권합니다. 물론 아이는 매일 "좋았어"라는 대답만 반복할 가능성이 높습니다. 그럼에도 계속하는 것이 좋습니다. 왜냐하면 이 대화의 목적은 아이가 부모와 감정에 관해서 대화 나누는 것을 어색하게 느끼지 않도록 하기 위함입니다.

또 어떤 날은 엄마 아빠가 먼저 감정을 드러내도 좋습니다.

"오늘은 기분이 어때? 아빠는 사실 조금 화가 났어."

"왜?"

"아빠가 오랫동안 열심히 했던 일이 잘 안 됐거든."

이렇게 우리의 감정을 표현하는 날들도 만들어보는 거지요. 이런 대화를 꾸준히 반복했을 때 얻을 수 있는 부가적인 행운은, 아이가 혹시라도 난처하고 어려운 상황에 부닥쳤을 때 양육자에게 털어놓기가 더욱 쉬워진다는 점입니다. 감정에 관해 이야기할 수 있는 대상이 있다는 것만으로도 아이가 무거운 이야기를 스스로 인지하고 밖으로 꺼내는 것을 좀 더 쉽게 할 수 있도록 도와줍니다.

사례 1 **"아이가 다른 사람의 마음을 헤아리지 못해요."**

"여섯 살 남자아이입니다. 아무리 아이라지만 가끔은 너무 이기적이고 공감 능력이 떨어지는 것 같아요. 며칠 전 길을 가다가 옆에 있는 친구가 돌부리에 걸려 넘어졌는데요, 친구가 크게 우는데도 신경 쓰지 않고 계속 걸어가더라고요. 다친 친구가 걱정되지 않는 걸까요? 이게 가르친다고 고쳐지는 걸까요?"

자신의 행동이 다른 사람에게 어떤 영향을 주는지 배우는 중입니다.

사회성 발달은 어느 날 갑자기 이루어지는 것이 아니라 자기와 먼저 친해지고, 타인의 입장을 이해하게 되며, 적절한 행동을 배워 연습하는 과정이 필요합니다. 아이가 사회적 민감성이 낮은 경우 타인에게 무심하거나 이기적인 행동을 하는 것처럼 보일 수 있지만, 아이는 정말 모르는 거예요. 아이에게 자신의 말과 행동, 의도가 다른 사람에게 어떤 영향을 주는지 계속 알려주어야 합니다. '아 이런 상황에서 내가 이렇게 행동하면 상대방이 화가 나는구나/슬프구나' 등을 되짚어 이해하고 어떤 말과 행동을 해야 적절한지 배워 적용해야 합니다. 하지만 아이를 가르치는 것에만 너무 집중한 나머지 부정적인 감정에 관해서만 이야기하는 것은 주의해야 합니다. 아이가 다른 사람에게 긍정적인 영향을 주는 상황에 대해서도 아이가 알 수 있도록 해주세요.

사례 2 "눈치 없는 아이, 학교에서 미움받으면 어떡하죠?"

"아이는 착하고 밝고 그런데, 좀 눈치가 없다고 해야 할까요? 상황을 좀 살피고 아니다 싶으면 멈추거나 그래야 하는데 상대방 기분이나 상황은 안중에도 없는 것 같아요. 친구들 앞에서도 그러는 것 같은데 지금이야 다들 어려서 그렇지만 초등학교만 가도 미움받기 딱 좋은 행동 같거든요. 이런 아이에게 일상에서 적용할 수 있는 방법 없을까요?"

좋은 그림책과 영상은 맥락과 감정을 파악하는 유용한 도구입니다.

아이가 좋아하는 그림책과 영상물을 적절히 활용하면 좋은 사회성 연습이 됩니다. 사회성은 결국 어떤 상황에서 맥락을 파악하고 나와 다른 사람의 입장을 고려하면서 적절한 행동으로 문제를 해결하는 힘입니다. 그림책이나 영상물을 보고 전체적인 맥락, 등장인물 간의 관계와 주고받는 영향 등에 대해 이야기하는 것은 사회성 훈련에 매우 효과가 좋습니다. 특히 잘 만들어진 그림책과 긴 호흡의 애니메이션은 다양한 성격과 상황에 놓인 등장인물들을 입체적으로 잘 설계해두어서, 아이와 이야기를 나눌 것이 정말 많지요. 그림이나 영상물을 보고 난 후 다음과 같은 질문을 하며 대화해볼 수 있습니다.

"여기서 네가 가장 이해가 되지 않는 등장인물은 누구였어?"
"이 이야기에서 나쁜 사람이 있다면 누굴까?"
"여기에서 가장 난처한 사람은 누구였을까?"

이러한 질문은 아이가 다른 사람을 다양한 입장에서 생각해보도록 도와줍니다. 또한 앞서 이야기한 '상황 다시 되감기→타인의 감정 인지하기→수정된 행동 적용하기'를 대입해볼 수도 있습니다. 주인공이 처한 상황을 되짚어보면서 그때 다른 등장인물은 어떤 감정을 느꼈을지 생각해보는 거죠. 만약 주인공이 다르게 말하고 행동할 수 있다면, 어떻게 할 수 있을지 이야기를 나눠보는 것도 좋습니다. 물론 아직 이러한 대화가 어렵다면 이야기만 충분히 즐겨도 좋습니다. 등장인물 간의 관계를 파악하고 다양한 캐릭터의 이야기를 이해하는 것만으로도 아이는 자연스럽고 즐겁게 타인의 입장을 조망해보는 경험을 하게 되기에 매우 유용합니다.

사회적 민감성이 낮은 아이들이 이기적이고, 공감 능력이 부족하다는 것은 오해입니다. 아이는 자신의 행동이 다른 사람에게 어떤 영향을 주는지 몰라서 실수를 반복하고 있을 가능성이 높아요. 이때 아이의 편이 되어야 할 사람은 양육자입니다. 아이의 순수한 의도를 오해하지 말고, 타인을 대하는 올바른 방법을 연습할 수 있도록 도와주세요. 공감 능력은 연습하는 만큼 자랍니다. 아이가 걸음마 연습을 부단히 한 뒤에 두 발로 걸을 수 있게 되었듯 어느 순간 훌쩍 자라 자신과 타인을 이해하고 적절한 행동을 할 수 있을 거예요.

눈치 없는 아이를 훈육할 때 유의사항

1. 눈치 없는 아이에게는 감정적으로 혼내면 아무 효과 없답니다.

훈육하는 이유는 '가르치기 위해서'이지 '부모가 부끄러워서'가 아닙니다. 아이의 눈치 없고 이기적으로 보이는 행동은 양육자를 자주 난처하고 화나게 합니다. 주변 사람들에게 내가 부모로서 아이를 제대로 가르치지 않은 것처럼 보이는 것 같아서 민망하기도 하지요.

그러나 내가 민망하다고 해서 감정적으로 훈육하지 않도록 조심해야 합니다. 훈육은 잘못된 행동을 반복하지 않도록 아이를 가르치는 것입니다. 훈육의 이유는 '자기 고집만 부리는 행동을 해서', '내가 하고 싶은 것만 하려고 친구에게 바람직하지 않은 행동을 해서'에 집중되어야지, '부모를 부끄럽게 해서, 민망하게 만들어서'가 되어서는 안 됩니다. 감정적인 훈육은 사회적 민감성이 낮은 아이에게 아무 효과가 없습니다.

2. 짧고 확실한 말로 가르치세요.

사회적 민감성이 낮은 아이를 훈육할 때는 '꼬집으면 안 돼', '밀치면 안 돼'라고 명확하게 정리해야 아이에게 메시지가 전달됩니다. "상대방 눈치를 봐서 싫어한다 싶으면 알아서 그만해야지 계속 가서 집적거리면 상대방 기분이 좋겠니, 안 좋겠니? 이런 걸 어떻게 다 말로 해야 알아들어?" 핵심 메시지가 한 줄 정리가 되지 않는 행동이라면 훈육으로서 적절한가 한 번 더 고민해야 합니다. 부모가 언어로 정리할 수 없는 행동이라면, 아이에게 제대로 전달되기 어렵고 당연히 훈육의 효과도 떨어집니다.

3. 하루아침에 고쳐지지 않습니다.

사회적인 행동을 가르치고 연습시키는 것은 오랜 시간에 걸쳐 '반복'하는 것이 필수입니다. 어른은 갈등 상황에서 우리 아이와 상대 아이의 감정과 사건이 한꺼번에 파악되지만, 아이는 그렇지 못합니다. 경험치가 낮은 데다, 사회적 민감성이 낮은 아이는 타인에 대해 파악하는 게 더 어려우니까요. 양육자 입장에서는 '몇 번 이야기 했는데도 왜 행동수정이 안 되지?' 화도 나고, 내가 제대로 훈육을 하고 있는 건지 의심이 들 겁니다. 생각한 것보다 훨씬 더 많은 시간을 들여 반복해야 합니다.

각오하고 시작합시다.

4. 감정 수용도 짧게 하는 게 좋습니다.

사회적 민감성 특성이 낮은 아이에게는 감정적이고 관계 지향적인 표현보다는 '안 되는 행동' 중심의 깔끔하고 단호하며 짧은 훈육이 효과적입니다. "네가 이렇게 행동해서 엄마 아빠는 속상하고… 친구도 그렇고…"와 같이 감정이나 배경에 대한 설명이 길어지면 아이는 핵심이 되는 메시지를 잘 기억하지 못합니다.

아이의 감정을 읽어주는 것이 필요한 경우에도 되도록 간결하게 하는 것이 좋습니다. "친구가 네 것을 뺏으려는 줄 알고 겁이 났을 수 있어. 하지만 그렇다고 밀치는 행동은 절대 안 돼", "친구가 먼저 가져가서 속상했지? 하지만 속상하다고 해서 그렇게 소리를 지르면 친구도 놀라기 때문에 안 돼"와 같이 감정 수용과 행동 제한을 구분해서 짧게 이야기해주세요.

06

사회성 키우는 최고의 방법은 놀이

공부도 사회성도, 아이는 재미있을 때만 배운다

"아이의 사회성을 키우려면 부모가 아이와 같이 많이 노는 것이 중요하다는 건 배웠는데, 막상 같이 놀려면 막막해요. 놀면서 어떻게 말해야 할지도 잘 모르겠어요. 놀 때 아이가 주도성을 발휘할 수 있도록 해주라는데 '이렇게 말하면 되는 건가?', '상황에서 맞는 말과 행동을 가르쳐주면 되는 건가?' 계속 망설이게 돼요. 혹시 내가 잘못해서 노는 게 아무 효과도 없으면 어떡하나 걱정이 되고요.

그런데 사실은 아이와 노는 것 자체가 재미없어요. 부담스럽고 힘들기도 하고요. 저는 역할 놀이도 쑥스러워서 잘 못하겠고, 숨바꼭질도 한두 번이지 금방 장난감을 갖다주게 돼요.

영상을 틀어주게 되고요. 아이가 또래 관계에서 사회성이 부족해 보이는 행동을 하면 내가 잘 못 놀아줘서 그런가 싶어 죄책감이 듭니다."

미래에는 성적보다 사회성이 더 중요하다

우리 아이들이 살아갈 미래에는 단순히 '어떤 것을 잘한다'에 그치는 것이 아니라 다른 사람을 설득하여 함께하고 해결하는 능력을 기대합니다. 바로 사회성이죠. 하지만 양육자가 아이의 사회성 발달을 어떻게 구체적으로 도와주어야 하는가에 대해서는 별다른 정보가 없습니다. 그러다 보니 아이가 잘못된 행동을 했을 때, 알려주고 훈육하는 정도에 머물고 있습니다. 잘못했다고 지적하고 대안 행동이나 언어 표현을 가르치는 것이죠. 하지만 모든 문제 상황마다 다 가르쳐줄 수도 없고, 무엇보다 사회성을 늘 혼나면서 익히는 상황이 되어버립니다.

사회성을 배우는 가장 자연스럽고 좋은 방법은, 아이의 일상, 특히 놀이하는 시간을 활용하는 것입니다. 왜일까요? 놀이는 아이가 자발적으로 시작하며 즐거움을 느끼고 반복하는 활

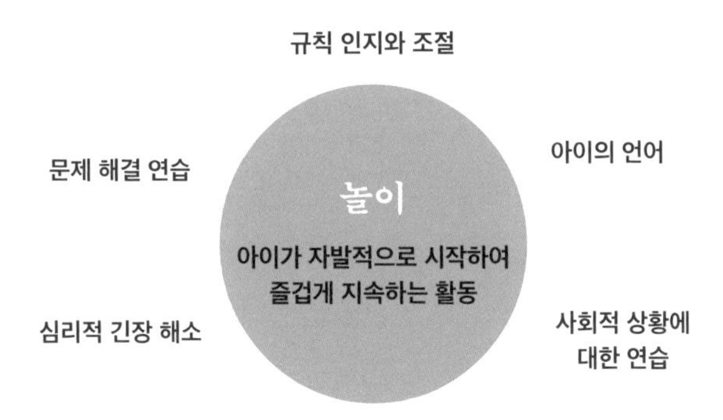

동입니다. 아이의 의지가 높고 즐거우며 편안한 상태이지요. 그래서 무엇을 배우든 방어가 적고 자연스럽게 받아들일 수 있습니다. 놀이를 하며 단어를 알게 되거나 말을 배우듯이, 사회성 또한 놀이를 통해 주고받고 문제를 해결하는 과정이 만들어집니다. 아이들은 원하는 놀이를 하기 위해 자신의 마음을 표현하고, 타인과 이야기하며 이견을 조율하는 법을 배웁니다. 놀이터에서 하는 단순한 공놀이에도 규칙이 있어요. 한 번씩 번갈아 가며 공을 차고, 잡는 사람이 정해져 있는 것처럼요. 이렇게 놀이를 통해 질서를 접하고 이것을 지켜야 다른 사람과 원만하게 어울릴 수 있다는 사실을 자연스레 깨닫습니다.

나아가 놀이는 아이에게 있어, 또 하나의 '언어'입니다. 아무리 말을 잘하는 아이라도 자기 생각과 감정을 언어로 충분히 표현하는 데는 한계가 있습니다. 그래서 아이들은 놀이를 통해서 속마음을 이야기합니다. 놀이하는 모습을 유심히 관찰하면 아이의 속마음을 살펴볼 수 있습니다. 아이들은 놀이를 하면서 마음에 맺힌 문제를 해소하고, 새로 알게 된 것을 연습하기 때문입니다. 양육자가 놀이를 적절하게 사용할 수 있다면 아이와의 대화를 더욱 풍성하게 할 수 있게 되지요.

놀이는 아이에게 일종의 시뮬레이션 기능을 합니다. 맺힌 마음을 해소하고 무언가를 연습합니다. 아이가 반복하는 주제와 놀이 방식은 일종의 연습 시간입니다. 역할 놀이 속 주인공이 되어 자기주장과 표현을 연습한 아이는 자연스럽게 일상생활에서도 같은 표현을 할 수 있는 힘이 생깁니다.

또한, 놀이를 통해 규칙을 익히고 기다리며 적용하는 것, 함께 협동하는 것, 다른 사람이 나와 다른 욕구를 가지고 있다는 것 등을 배우게 됩니다. 놀이와 일상이 연결되며 서로 영향을 주고받는 것입니다.

놀면서 사회성 기르기 비법 3가지

그렇다면 부모는 어떻게 아이와 놀이하고 상호작용을 하며 사회성 발달을 도울 수 있을까요? 당장은 이것만 기억하세요.

눈 맞춤, 스킨십, 역할 놀이입니다. 이것만 잘해도 아이와 놀이 시간이 더 즐거워지는 것은 물론 아이가 달라지는 모습을 느낄 수 있을 거예요.

1. 눈 맞춤 – 일단 아이 옆에 누워라?!

많은 부모님이 '눈 맞춤'의 중요성을 잘 모릅니다. '서로 대화를 하면 자연스럽게 눈 맞춤이 되는 거 아냐?'라고 생각하는 분들도 있지요. 하지만 눈 맞춤은 결코 자연스러운 것이 아닙니다. 특히 아이와 함께 사는 일상은 매우 분주하므로 일부러 눈 맞춤의 중요성을 기억하지 않으면 점점 소홀하게 됩니다.

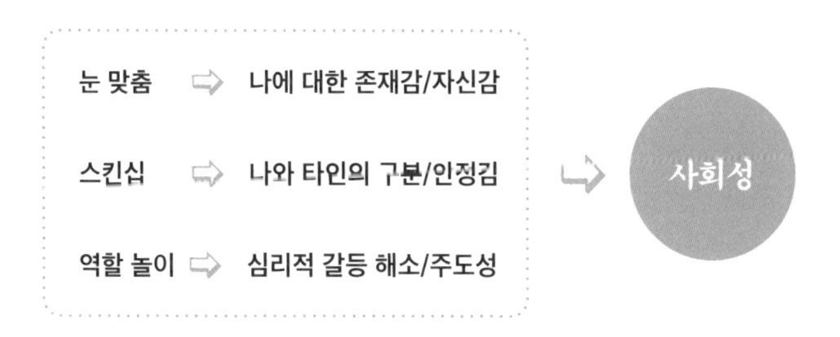

눈 맞춤은 상대방이 나를 인지하고 있다는 것을 알게 해주며 나의 존재감을 확인시켜주는 역할을 합니다. 내가 배우자에게 어떤 이야기를 하는데 눈을 맞추지 않고 다른 곳을 보며 대답을 한다면 어떤 느낌일까요? '나를 무시하는구나!', '내 이야기를 안 듣고 있구나'라고 느끼겠지요. 아이들도 마찬가지입니다. 사회성에는 '나와 다른 사람의 관계'라는 맥락이 필요합니다. 무엇보다 먼저 '나의 존재감에 대한 확신'이 중요합니다. 눈 맞춤을 통해 나에게 관심을 두고 있는 사람, 내 말에 귀 기울이는 사람이 있다는 것을 확신하는 아이는 타인의 시선을 통해 자신의 존재감을 확고히 하게 됩니다.

놀이를 할 때는 아이의 뒤나 옆보다 마주 앉는 것이 좋습니다. 눈 맞춤의 빈도를 높이고 아이가 집중하는 것에 정확하게 반응하기 위해서입니다. 아이가 어리다면 아이 앞에 아예 엎드리거나 비스듬히 눕는 것도 괜찮습니다. 앉은키가 작은 아이는 어른이 허리를 세우고 앉으면 눈 맞춤을 하기가 쉽지 않거든요. 특히 자신이 하는 것에 몰두하는 성향을 강하게 보이는 아이는 스스로 눈 맞춤 하기 위해 올려다보는 경우가 별로 없습니다. 양육자가 자세를 낮추어 아이의 시야 안에 얼굴을 두고 아이의 눈을 자주 바라보는 것만으로도 눈 맞춤의 빈도를 훨씬 높일 수 있습니다.

눈 맞춤이 많아질수록 아이는 상호작용을 하려는 시도를 훨씬 더 많이 합니다. 영유아뿐 아니라 초등학교 아이들도 마찬가지입니다. 매번 아이에게 집중하고 눈 맞춤을 할 수는 없지만, 대화를 나눌 때 눈을 맞추고 진지하게 들어주는 시간을 늘

려보세요. 이런 눈 맞춤을 시도하는 것만으로도 아이는 자신의 존재감을 보다 확실히 느끼고, 자신감도 커집니다.

2. 스킨십 – 나와 세상을 함께 발견하는 골든 티켓

왜 스킨십이 아이의 사회성 발달에 도움이 될까요? 사회성 발달은 아이가 자신과 타인을 구분하는 것에서 시작합니다. 스킨십은 피부에 닿는 감촉을 통해 '나와 엄마, 아빠는 실제로 존재하는구나!'라는 사실을 직관적으로 느끼게 하는 효과적인 방법이에요. 나의 존재감을 느끼고, 타인이 존재한다는 것을 아는 것, 그리고 나와 타인은 전혀 다른 욕구와 감정을 가지고 있다는 것을 인식할 수 있어야 상대방이 입장에서 생각해보고 나의 욕구를 조절하며 문제를 해결하고자 하는 시도를 할 수 있게 됩니다. 스킨십은 '아! 나는 존재하는구나!'라고 느끼고 피부의 닿는 감각을 통해 '아! 타인이 존재하는구나!'라고 직접적으로 느끼게 하는 효과적인 방법입니다.

또 스킨십은 아이에게 안정감을 줍니다. 좋아하는 사람과 서로 손을 맞잡고 껴안으면 따뜻하고 포근하죠. 심리적으로 편안해져서 긴장된 마음이 회복되기도 합니다. 아이가 또래 관계에서 자신감 없어 하거나 지나치게 긴장하고 예민함을 보일 때, 전문가들은 부모님에게 하루 세 번 포옹하기 등의 방법을 많이 권합니다. 아침에 등원/등교하며 헤어질 때, 다시 만났을 때, 자기 전에 이렇게 세 번씩 포옹하는 것을 규칙적으로 유지함으로써 아이가 관계 속에서 느끼는 긴장을 해소하고 편안하게 회복되도록 돕는 것입니다.

아이가 어릴 때는 매일 안고 업고 할 수밖에 없고 뽀뽀나 포옹도 자연스럽지만, 아이가 성장할수록 스킨십은 점점 어려워집니다. 잠깐 놓쳐버리면 사소한 스킨십도 굉장히 어색해질 수 있어요. 그래서 아이와 팔씨름을 하거나 함께 춤을 추는 것, 무언가를 해냈을 때 두 손을 맞대며 하이 파이브를 하는 등의 유쾌하고 자연스러운 스킨십을 만들고 시도해보기를 권합니다. 부모와 아이의 관계도 개선되고, 아이가 또래 관계에서 더욱 자신감 있게 나아갈 수 있는 베이스캠프가 되어줄 겁니다.

3. 역할 놀이 - 사회성을 기르는 최고의 방법

사실 역할 놀이는 부모에게 굉장히 고통스러운 놀이 중 하나입니다. 보통 아이들은 특정 주제와 전개 방식으로 같은 역할 놀이를 수없이 반복하기 때문입니다. 부모님은 병원 놀이 내내 아픈 척 해야 하고, 아이가 원하는 대로 싸우다가 죽어주거나 다시 살아나며, 같은 말을 반복해줘야 합니다. 재미도 없고, 언제 끝날지 몰라 지겨운 마음도 듭니다. 하지만 조금만 더

힘내주세요. 역할 놀이는 사회성 발달을 꽃피우게 하며, 반대로 사회성 발달이 잘 되어가고 있는 것을 역할 놀이를 통해서 보여주기도 합니다.

아이가 똑같은 놀이를 반복하는 이유

여섯 살 세준이는 작은 인형과 버스 놀이감을 가지고 유치원에 등원하고 수업하는 놀이를 반복합니다. 유치원에 갈 준비를 하고 집 앞에 서서 노란 버스가 오는 것을 기다리고, 버스가 오면 차례대로 올라타 앉고 다시 유치원으로 가서 내리는 단순한 놀이였지요. 그런데 자세히 들여다보니 아이는 자신을 투영한 인형을 통해, 다른 친구들보다 버스를 먼저 타고 늘 원하는 자리를 골라서 앉는 겁니다. 실제로는 늘 친구들 보다 늦게 타고 남는 자리에 앉아서 창밖 엄마에게 손을 흔드는 아이였는데 말이죠. 아이의 놀이는 계속 단조롭게 반복되는 것처럼 보였지만, 사실은 아이가 표현하고 싶은 욕구를 구체적으로 만들고 연습하는 과정이었습니다.

역할 놀이는 아이가 느꼈던 심리적인 갈등이나 아쉬웠던 부분을 반복하게 도와주고, 필요한 것을 연습하게 합니다. 교실

안에서 일어나는 일을 이야기로 만들어 놀이하고 자신이 문제를 해결하거나, 사과하거나, 싸우는 등의 여러 가지 시도를 해보는 경우도 많습니다. 아이가 역할 놀이를 통해 자신이 무언가를 해볼 수 있는 사회적 상황을 만들고 적극적으로 참여하고 있는 것이지요.

역할 놀이는 자연스럽게 아이가 주도성을 경험하도록 도와줍니다. 역할 놀이의 시나리오는 아이의 생각에서 나오니까요. 레고나 보드게임은 어느 정도 정해진 규칙이 있습니다. 하지만 역할 놀이는 무조건 아이가 원하는 대로 이야기를 전개하면 됩니다. 아이가 죽었다고 하면 죽는 거고, "다시 살아났대!" 하면 살아난 것이 됩니다. 아이가 전적으로 주도권을 가지고 움직여도 이상하거나 위험하지 않은 상황입니다. 완전한 아이의 세상이지요. 심지어 역할 놀이를 하면서 자신이 핸들을 잡고 부모의 반응을 이끌어내는 경험까지 합니다. 양육자와 역할 놀이를 충분히 경험하며 주도성을 경험한 아이는, 또래와의 관계에서 기다릴 수도 있고 주장할 수도 있습니다. 더욱 마음의 여유가 생기고, 내가 원하는 것을 할 수 있는 기회는 또 있으니까요.

물론 부모는 너무 바쁘고 힘들기에, 아이의 역할 놀이에 언제나 응할 수는 없습니다. 하지만 아이와 시간을 정해두고 대화를 나눈다는 마음으로, 어떠한 시간만큼은 아이가 전개하는 이야기에 집중하며 참여하는 시간을 가져보는 것이 필요합니다. 보통 하루 10~15분 정도가 적절합니다. 처음에는 이보다 조금 길겠지만, 부모가 집중해서 들어주고 참여한다면 서서히 시간 제한을 두며 줄여나갈 수 있습니다.

역할 놀이를 할 때 주도권은 아이가 갖게 하자

역할 놀이는 아이가 원하는 것을 이야기하고 연습하는 도구이기에 사회성 발달에 있어 매우 중요합니다. 아이가 완전히 주도하고 만족감을 느낄 수 있도록 '부모가 아닌 아이가 먼저 시작하도록' 해주세요. 부모가 "이거 가지고 놀까?", "이렇게 할까?", "엄마/아빠가 환자할게!"라고 정해버리면, 부모의 놀이가 되어버립니다. 아이가 하고 싶은 말을 할 수 없어요. 특히 아이가 상대방의 마음을 많이 신경 쓰거나 자신의 욕구를 느리게 인지하는 성향이라면, 자기도 모르게 부모가 이끄는 대로 끌려가고 놀이는 불만족스러워하는 상황이 반복될 수 있습니다. 따라서 "뭘 가지고 놀까?"라고 선택권을 주고 그 다음에는 "이걸로 어떻게 놀까?", "엄마/아빠는 어떤 역할을 할까?"

라고 아이에게 물어보세요. 아이가 놀이의 내용 전체를 주도할 수 있는 기회를 주는 것이지요.

사례 1 **"아이랑 노는 시간이 너무 힘든데 어떡해요?"**

"아이의 정서나 사회성 발달을 위해 놀이가 정말 중요하다는 것은 아는데… 하루 종일 아이만 볼 수도 없고, 집안일도 많고 해야 할 것도 많아서 놀아주기가 너무 힘듭니다. 어떤 날은 아이와의 놀이가 너무 지겹고요. 너무 미안하고 죄책감을 느껴요."

양보다 질, 퀄리티 타임을 정하세요!

하루 종일 놀아주지 않아도 됩니다. 대신 딱 정한 시간에는 아이에게만 집중해서 빠지지 않고 놀아주면 됩니다. '부모와 아이가 함께 상호작용하는 시간'을 따로 정하는 거예요. 매일 저녁을 먹은 후 10~15분 정도는 아이의 놀이에 집중해주는 시간을 갖기, 잠자기 전에는 누워서 이런저런 이야기를 나누기, 주말에는 아이가 원하는 것을 정해서 하는 시간을 갖기 등으로 각 가정의 상황에 맞게 가장 실천하기 쉬운 퀄리티 타임을 정해보세요.

눈 맞춤이나 스킨십도 '무조건 많이 해야지!'라고 막연하게 생각하기보다는, 아이가 부를 때 눈을 맞추고 대답하기 또는 10분 놀이하는 시간에 눈 맞춤을 하기, 저녁 먹을 때 눈 맞춤하며 이야기하기, 아이가 등원/등교할 때 안아주기 등 어떤 시간에 눈 맞춤과 스킨십을 할지 정해두는 것이 좋습니다. 그래야 좋은 상호작용이 습관처럼 자리 잡을 수 있으며, 부모와 안정적으로 상호작용을 하는 일상이 아이가 또래 관계에 맺는 관계에 안정감으로 나타나게 됩니다.

사례 2 "놀이가 중요하다는데, 우리 아이 놀이만 하면 울고불고 난리가 나요."

"아이가 너무 승부욕이 강해요. 그래서 놀다가 친구나 엄마, 아빠가 자기보다 잘하거나 이기면 난리가 납니다. 자기가 이길 때까지 놀이를 계속 요구하기도 하고요. 결국 늘 혼이 나고 끝나요. 저는 그냥 져주고 평화롭게 놀이하려고 하는 편이고, 아이 아빠는 아이가 지는 것도 자꾸 경험해서 강하게 커야 한다고 생각하는 터라 자꾸 부딪히고 시끄러워집니다."

승부욕이 강한 아이와 놀이를 할 때는 져주세요. 왜?

승부욕이 강한 아이는 자칫 이기적이고 자기만 아는 아이로 여겨질 수 있습니다. 게임에서 졌다고 울고불고하는 아이를 보면, 친구들 사이에서 저러면 미움받을 텐데. 걱정이 되지요. 사실 승부욕이 강한 것은 잘못된 것이 아닙니다. 이기고 싶고 제일 잘하고 싶은 마음은 아이가 무언가를 지속적으로 하고 성취해내도록 만드는 강력한 동기가 되지요. 아이가 너무 승부욕이 없어서 걱정이고 답답하다는 부모님들도 많은걸요.

'아이가 왜 이렇게 승부욕이 강할까?'에만 집중하다 보면 아이에게 진짜로 무엇을 가르쳐야 하고, 사회적 상황에서 어떤 것을 보완해야 하는지 중요한 부분을 놓치기 쉽습니다. 핵심은 승부욕이 강한 것이 아니라 실패했을 때 감정을 해결하는 방법에 있습니다. 아이는 자신이 지거나 실패했을 때 느끼는 감정을 사회적으로 적절한 방식 내에서 잘 표현하는 방법을 배워야 합니다. 조절해야 하는 것은 승부욕이 아니라, 감정을 표현하는 방법이지요.

그래서 부모는 아이와 게임이나 놀이를 할 때, 아이에게 충분히 져주는 것도 괜찮습니다. 단 아이에게 승리하는 기쁨을 주기 위해서 져주는 것이 아닙니다. 져주는 이유는, 잘 지는 모습을 아이에게 거울처럼 보여주기 위해서입니다. 아이가 져서 속상해할 때 "그렇게 말고 이렇게 행동해 봐"는 잘 와닿지 않습니다. 속상하고 화나는 감정이 너무 크기 때문이지요. 하지만 내가 이겼을 때, 상대방이 보여주는 행동은 좀 더 명확하게 보입니다. 그래서 부모가 졌을 때 잘 지는 방법을 보여주어야 효과적입니다.

어떤 모습을 보여주어야 할까요?

- "아, 져서 너무 속상해!"라고 아쉬움을 언어로 표현할 수 있습니다. 져서 속상한 마음을 부드럽고 솔직하게 말하는 것은 이상하지 않으니까요.
- "이겨서 좋겠다. 축하해." 아이에게 가르치고 싶은 말을 직접 직접 사용하는 것도 좋습니다.
- "와! 져서 너무 아쉬운데, 이거 너무 재밌다. 우리 한 번 더 할까?"라는 말은 게임은 게임일 뿐이라는 태도를 보여줍니다. 져도 재미있을 수 있어!

아이는 잘 지는 태도를 관찰하면서 어떻게 잘 져야 게임을 더 할 수 있고, 놀이가 유지되는지 자연스럽게 배웁니다. 가끔 부모가 이겨보면서 졌을 때 아이의 반응이 달라지는지 살펴보는 것도 좋습니다. 아이들에 따라 걸리는 시간은 다르지만, 졌을 때 보여주는 아이의 태도는 확실히 달라질 것입니다.

사례 3 **"이왕이면 사회성 발달에 효과적인 놀이를 알려주세요."**

"물론 아이가 하는 놀이에 잘 참여하고 따라가주는 것이 중요하겠지만, 그래도 아이의 정서나 사회성 발달에 좀 더 도움이 될 만한 놀이 없을까요?"

아이와 함께하면서 따로 작업하는 놀이를 해보세요.

특별한 놀이가 언제나 필요한 것은 아니지만 아이의 사회성 발달을 위해 전문가들이 종종 사용하는 몇 가지 놀이를 소개합니다.

1. 점토로 먹고 싶은 것 만들기

먼저 아이는 놀이를 통해 다른 사람은 나와 전혀 다른 생각과 감정을 가지며 다르게 표현한다는 것을 배울 수 있습니다. 그래서 〈같은 재료를 가지고 각자 만드는 놀이〉를 권합니다. 예를 들어, 점토나 레고 같은 재료를 활용하면 좋습니다. '가장 먹고 싶은 음식 만들기'라고 한다면, 아이는 내가 먹고 싶은 음식과 엄마 아빠가 먹고 싶은 음식이 다를 수 있다는 것을 인지하게 됩니다. 또한 서로 무언가를 각자 만들거나 그림을 그리고 난 후, 상대방의 작품이 무엇인지 추리하는 놀이도 가능합니다. 이때 상대방의 입장에서 생각해보게 됩니다.

2. 내 공간 만들기

쉽게 붙이고 뗄 수 있는 종이테이프를 활용하여 공간을 만드는 놀이를 추천합니다. 여러 색깔과 두께의 종이테이프만 준비하면 끝입니다. 각자 테이프를 바닥에도 붙이고 가구와 가구를 연결하여 만들 수도 있습니다. 여러 명의 자녀와 부모가 동시에 할 수도 있습니다. 함께하는 놀이지만 자신의 활동에 집중하는 시간도 있으며, 이를 통해 나와 다른 사람의 공간을 시각적으로 구분하여 경험하는 기회도 됩니다. 실제로는 형제가 놀이방을 함께 쓰지만 이런 놀이를 통해 잠시나마 공간을 분리해보는 경험도 할 수 있지요. 각자 나만의 공간을 만들었다면 그 공간에서 쉬고, 상대방을 초대하거나 초대에 응하고 거절하는 놀이를 해보세요. "들어가도 되니?"라고 했을 때, "어서 와!"라고 할 수도 있고, "지금은 혼자 있고 싶어. 기다려줘!"라고 할 수도 있습니다. 거절하고 수용하는 연습도 자연스럽게 이루어집니다.

3. 에너지 게임

포장용 뽁뽁이를 사용하는 놀이예요. 뽁뽁이를 바닥에 깔고 누웠을 때가 에너지 0, 일어나서 살살 걸으면 에너지 1, 조금 더 세게 걸으면 에너지 2, 빠르게 걸으면 에너지 3, 손을 흔들며 신나게 뛰면 에너지 4로 구분하여 아이와 함께 먼저 연습합니다.

그 후 부모가 에너지 0에서 4 사이의 숫자를 반복하여 부릅니다. 여러 명의 자녀가 동시에 함께 할 수도 있습니다. 신나게 뛰다가 다시 0이 되어 눕고, 다시 일어나 걷고 뛰는 활동을 하다 보면 다른 사람의 목소리와 신호에 집중하게 되고, 다른 사람에게 맞추어 자신의 에너지 수준과 행동을 조절하는 경험을 하게 됩니다. 공원에 놀러 가서 돗자리나 신문지를 가지고 밖에서 해보는 것도 재미있어요.

아이의 사회성을 길러주는 놀이 비결 7

1. 아이와 놀면서 눈을 자주 맞춰주세요.

놀이할 때는 아이의 뒤나 옆보다 마주 앉는 것이 좋습니다. 아이가 눈을 잘 맞추지 않는다면 아이의 눈높이에 맞추어 부모가 자세를 낮추는 것이 효과적입니다.

2. 놀이 중 자연스럽게 스킨십을 하세요.

특히 아이가 커갈수록 자연스러운 신체 접촉이 일상과 놀이 중에 있으면 아이에게 정서적인 안정감을 줍니다. 동시에 신체 접촉은 나와 타인을 구분하게 하는 배움이 되기도 합니다. 하이 파이브, 팔씨름, 업어주기, 함께 춤추기 등을 추천합니다.

3. 역할 놀이는 짧더라도 집중해서 해주세요.

역할 놀이는 10~15분이면 충분합니다. 대신 그 시간만큼은 정확하게 집중하고 아이가 써내려가는 시나리오 대로 따라가주는 것이 중요합니다. 정확한 집중과 참여를 통해 놀이 만족도를 높이면 부모가 곁에 붙어 있는 시간이 줄어들고 놀이 독립도 가능해집니다.

4. 아이가 놀자는 대로 놀아주세요.

놀아주는 것이 아니라 아이가 잘 놀게 하는 것이 핵심입니다. 놀이는 아이가 자발적으로 시작하고 자기가 끌고 나가야 아이에게 큰 만족감을 줍니다. 만족하지 않으면 계속 놀이에 목말라합니다. 놀이에서만큼은 아이가 많이 선택하고 주도하게 해주세요. 그래야 또래 관계에서 기다리고 양보할 수 있는 힘도 생깁니다.

5. 잘 지는 방법을 알려주세요.

승부욕 강한 아이에게는 져주세요. 아이 기분을 맞춰주기 위해서가 아닙니다. 잘 지는 방법을 가르쳐주기 위해서입니다. 아이는 말보다 보는 것 그리고 경험하는 것을 통해 배웁니다. 이긴 것을 축하하기, 아쉬움을 말로 적절하게 표현하기, 놀이로서 즐기기 등을 부모가 먼저 보여주면 아이는 '잘 지는 방법'을 모델링할 수 있습니다.

6. 아이의 생각을 물어봐주세요.

놀이를 통해 함께 문제를 해결하는 경험을 하게 도와주세요. "나는 이게 하고 싶은데 너는 저것이 하고 싶어! 어떻게 하면 좋을까?" 아이에게 질문하세요. 또 한 번 더 해보려면, "더 재미있으려면 어떻게 하면 좋을까?"라는 질문도 좋습니다. 놀이는 아이가 가장 쉽게 생각을 확장할 수 있는 세상이라는 것을 기억해주세요.

7. 놀이는 놀이일 뿐, 수업이 아닙니다.

편하게 놀아주세요. 놀이를 통해 사회성이 길러지는 것은 틀림없지만, 사회성을 기르기 위해 노는 것은 아니랍니다. 양육자도 마음 편하게 그저 놀이를 즐겨보세요.

07

기관, 학교에서 발생하는 아이의 사회성 문제

"엄마, 나만 친구가 없어" 아이의 진짜 감정은 무엇일까?

"여섯 살인 아이가 올해 들어 '유치원에 가기 싫다'라는 말을 자주 합니다. "나만 친구 없어. 심심해"라는 말도 종종 하고요. 유치원 학부모 참여 수업에 가보니 실제로 아이가 혼자 있더라고요. 외로워 보여 마음이 아팠습니다. 아무래도 어떻게 친구와 친해져야 할지 몰라서 주저하는 것 같아요. 선생님께 '아이가 친구와 친하게 지낼 수 있게 도와달라'고 말씀드리고 싶지만, 너무 과한 부탁인가 싶어서 망설여져요. 저희 아이만 잘 봐달라고 하는 것 같기도 하고요. 어떻게 하면 좋을까요?"

또래 관계에서 크고 작은 어려움을 겪는 것은 당연하다

아이가 어린이집, 유치원 등의 기관에 가면, 양육자와 맺던 애착 관계에서 더욱 넓은 사회를 경험합니다. 선생님은 물론 또래 친구들까지, 가족이 아닌 사람들과 접하게 되죠. 모든 아이는 자신이 가지고 있는 기질이 있습니다. 새로운 자극과 환경, 관계를 자신의 특성으로 흡수하고 반응하며 세상을 배워 갑니다.

이 과정에서 아이는 때때로 문제처럼 보이는 행동, 미숙한 행동을 하며 또래와 갈등하기도 합니다. 모든 순간이 아이의 사회성이 막 움트고 자라는 시기입니다. 양육자는 여전히 아이에게 가장 중요한 존재이지만, 이 관계만으로는 아이의 성장이 완전할 수 없습니다. 이때, 양육자는 이제 새로운 역할을 해야 합니다.

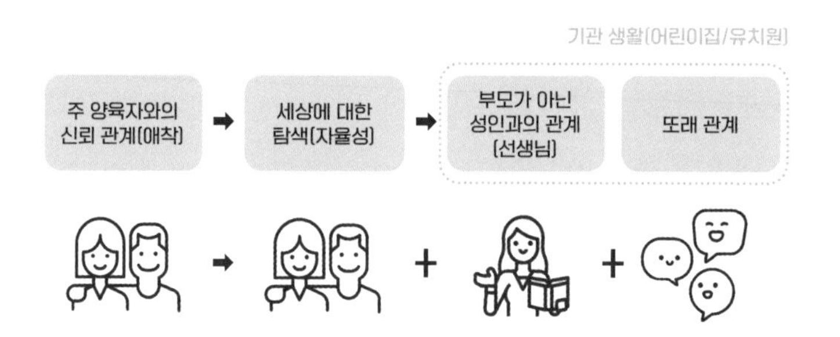

문제는 성장할 수 있는 기회

모든 양육자는 아이가 또래 관계에서 상처받거나 문제를 일으키는 일이 없기를 바랍니다. 더불어 아이가 리더십이 있고 또래 아이들이 내 아이를 좋아하길 원하지요. 하지만 대부분 아이는 사회성이 부족한 모습을 보입니다. 어떤 아이는 자신의 욕구를 강하게 주장하며 이기적인 행동을 하고, 또 어떤 아이는 소극적이고 끌려다니는 모습을 보입니다. 아이들끼리 서로 밀치고 꼬집고 싸우기도 하며, 서로 양보하지 않는 일도 비일비재하지요. 아이의 사회성은 이제 막 발달하기 시작했습니다. 이제 부모와 선생님의 지원, 그리고 또래와 상호작용을 통해 조금씩 성장합니다.

그 과정에서 발생하는 여러 가지 갈등과 문제는 어쩌면 아이의 성장을 위해 꼭 필요한 것일 수도 있습니다. 예를 들어 자기 마음대로 안 되면 친구를 밀치고 꼬집는 행동을 하는 아이가 있습니다. 양육자는 당황하고, 다른 양육자에게 사과해야 하는 상황이 거듭 발생할 수도 있습니다. 아이에게 문제가 있나 고민으로 밤에 잠 못 이룰 수도 있습니다. 하지만 대부분 경우, 아이에게 큰 문제가 있는 게 아닙니다. 장난감을 뺏기기 싫은 마음을 말로 표현하기가 어려워 행동이 먼저 나왔을 가능성이 높습니다. 이런 상황을 통해서 아이는 친구에게 사과하고, 내가 원하는 것이 있다고 해서 친구를 밀치거나 꼬집는 행동을 해서는 안 된다는 것을 경험하며 배우게 됩니다. 모든 아이는 각각 이렇게 사회성의 실패를 조금씩 경험합니다. 이는 역으로 말하면 아이가 성장하고 적절한 사회적 기술을 배우는 기회입니다.

가족은 아이가 사회성을 연습할 수 있는 안전한 대상

교실은 사회성을 발휘해야 하는 현장입니다. 실전에서 잘하려면 아이가 연습을 할 대상이 필요합니다. 가장 좋은 연습 대상은 바로 양육자, 가족입니다.

아이가 또래 관계에서 자신이 원하는 것을 잘 표현하지 못한다면, 이 연습은 부모와의 관계에서 충분히 이루어져야 합니다. "나는 그거 하고 싶지 않아"라는 말을 배운다고 하더라도 실전에서 이야기할 수 있는 것은 연습과 성공 경험을 통해 자연스럽게 이루어집니다. 아무런 경험도 없이 또래에게 바로 자기 의사 표현을 하는 것은 쉽지 않습니다. 만약 시도한다고 해도 친구가 받아들이지 않을 가능성도 큽니다. 그래서 부모에게 먼저 자기 의사를 표현하고 거절을 할 수 있어야 합니다.

특히 두 명 이상의 자녀를 함께 키우는 경우, 가정은 최고의 사회성 연습장이 될 수 있어요. 양육자로서는 형제간에 우애가 있길 기대하지만 실제로 아이들은 하루가 멀다고 싸우고 울고불고합니다. 어른은 아이들끼리 싸우는 것 때문에 골치 아파합니다만, 아이들에게는 갈등 해결 방법을 배울 수 있는 좋은 기회입니다. 한배에서 나와도 아이들은 저마다 다릅니다. 첫째는 맨날 당하기만 하고, 둘째는 고집스럽고 제멋대로일 수 있습니다. 둘이 싸우고 함께 놀면서 맨날 당하는 첫째는 동생에게 자기의 욕구를 표현하는 방법을 배우고, 둘째는 질서와 양보를 배웁니다. 결국 아이들은 자기 형제와 비슷한 친구들 기관에서 마주치게 되는데요, 그때 훨씬 수월하게 해결할 수 있을 겁니다.

사회성은 공감받을 때 더 잘 자란다

생각보다 많은 부모님들이 놓치는 부모의 역할이 있습니다. 바로 아이를 위로하고 격려하는 일입니다. 아이를 위로한다고 약하게 키우는 건 아닙니다. 우리도 실패나 좌절을 경험하면 회복의 시간이 필요합니다. 누군가의 위로와 다정함을 받으면 더 빠르게 회복이 되지요. 이 위로가 있다고 해서 마냥 그 자리에 머물지 않습니다. 회복되었기 때문에 그다음 단계로 나아갈 수 있는 것이죠. 아이의 발달도 마찬가지입니다. 아무리 기관에서 선생님이 세세하게 챙긴다 해도, 다수의 아이가 함께하는 교실은 정글과 같습니다. 아이는 준비되지 않아 쓰고 매운 맛을 경험하게 되지요. 부모는 아이를 위로하고 격려하는 역할을 놓지 말아야 합니다. 그래야 아이는 부모의 존재를 무기 삼아 더욱 잘 견디고 배워갈 수 있게 됩니다.

요즘 부모가 아이에게 공감해주는 것이 잘못됐다고 여기는 분들이 많은데 절대로 그렇지 않습니다. 공감은 양육자의 아주 중요한 임무입니다. 그래야 아이는 사회성 발달 속도에 맞추어 타인의 감정에 공감하고 조절할 수 있게 되기 때문입니다. 공감을 받아본 아이가 타인에게 더 잘 공감할 줄 알고, 감정도 더 잘 조절합니다. 오히려 부모가 절대적으로 해줘야 하는 공감을 다른 사람에게 더 많이 기대할 때 문제가 됩니다. 여러 명의 아이를 돌보아야 하는 선생님에게만 이 역할을 온전히 기대하는 경우이지요.

다만 공감은 하되 바른 행동을 가르치라는 것입니다. 무조건 아이의 행동을 받아주는 것이 공감이 아니기 때문입니다.

선생님과 잘 협력하면 생기는 좋은 일

아이의 사회성 발달을 위해 또 하나 양육자가 할 일은 선생님과 잘 협력하는 것입니다. 선생님께 너무 많은 것을 일방적으로 요구하는 것은 문제가 되지만, 아이의 사회성 발달을 위해 적절한 도움을 요청하고 협력하면 큰 시너지가 날 수 있습니다.

1. 선생님은 아이의 행동에 대한 객관적인 단서를 줄 수 있습니다.

양육자는 아이에 대해 객관적인 시각을 잃어버릴 때가 많습니다. '너무 산만한 것은 아닐까?', '너무 걱정이 많고 소심한 것은 아닐까?', '친구들에게 너무 휘둘리는 것은 아닐까?' 등 부모 시각에서 아이의 행동을 판단하고 깊은 고민에 빠지게 되지요. 물론 아이가 실제로 그런 특성을 가지고 있을 수 있습니다. 하지만 부모가 걱정하는 만큼이 아닌 경우도 매우 많습니다. 부모가 걱정하는 것과는 달리 아이는 수업 시간에 비교적 잘 집중하며 앉아 있거나, 친구들에게 자기 목소리를 내는 행동을 기관에서는 잘하고 있을 수 있습니다. 그래서 내 눈앞에서 보이는 아이의 행동만 보는 것이 아니라 다양한 상황에서 아이가 어떻게 행동하는지, 어떻게 노력하는지 정보를 모으는 것이 중요합니다.

선생님은 양육자가 볼 수 없는 아이의 모습을 살펴볼 수 있는 유일한 사람입니다. 다른 아이와 함께 살피다 보니 객관적인 정보를 공유해줄 수 있습니다. 그러니 알림장, 학부모 상담 등을 통해 아이에 대한 고민을 공유하고, 기관에서 아이가 보이는 행동 특성이 어떠한지 알아보고 도움을 받으면 좋습니다.

2. 선생님은 또래 관계 문제를 가장 가까이에서, 직접적으로 도와줄 수 있습니다.

아이가 자랄수록 또래 관계 문제는 부모가 직접 해결해주기 어렵습니다. 아이에게 친구의 중요도가 점점 커지는데, 그사이에 발생하는 예측 불가능한 다양한 문제를 부모가 다 파악하고 접근할 수는 없으니까요. 게다가 여러 아이가 함께 얽혀 있는 경우가 많다 보니 양육자가 나서서 일방적으로 해결하려다가 오히려 문제가 더 커질 수도 있고요.

아이의 또래 관계를 가장 생생하게 파악할 수 있고, 내 아이의 주변 친구들의 특성도 알고 있으며 시기적절하게 개입할 수 있는 사람은 선생님입니다. 선생님은 양육자와 다르게 아이가 어떤 아이에게 어떻게 반응하는지, 또 다른 아이들의 특성은 어떠한지 등 보다 종합적인 정보를 파악하고 있기에 아이가 적절한 말과 행동을 배우고 문제를 해결하는 경험을 갖도록 도움을 줄 수 있습니다. 특히 아이들끼리 미숙한 상호 작용을 하며 상처를 주고받거나, 특정 아이가 소외되는 다소 복잡한 상황에 대해서도 현장에서 즉시 적절한 개입을 할 수 있는 사람은 선생님이라는 것을 꼭 기억해주세요.

3. 선생님을 통해 아이의 문제를 빠르게 발견하고 대응할 수 있습니다.

저는 상담 현장에서 종종 아이의 담임 선생님으로부터 심리 검사나 놀이 치료를 권유받고 심란해하는 양육자를 만나곤 합니다. 갑작스러운 제안에 놀라고 불쾌감을 느낄 수도 있습니다. 그 마음은 충분히 공감되지만, 선생님 덕분에 더 빨리 문제를 발견하고 대응할 수 있는 기회를 잡은 셈입니다. 선생님은 너 객관적 시각에서 아이를 바라보고 필요한 개입을 빠르게 할 수 있도록 해줍니다. 같은 또래의 아이들을 동시에 많이 만난 경험이 많기에 아이 한 명 한 명이 가진 개별적 특성을 더욱 민감하게 알아차릴 수는 있습니다. 또한 선생님은 교육전문가로서 아동의 심리, 발달, 학습 등에 대한 기본 지식을 골고루 배우기에 도움이 필요한 아이들을 빠르게 발견할 수 있습니다. 대부분 선생님은 단 한 번 아이의 이상 행동만 보고 선

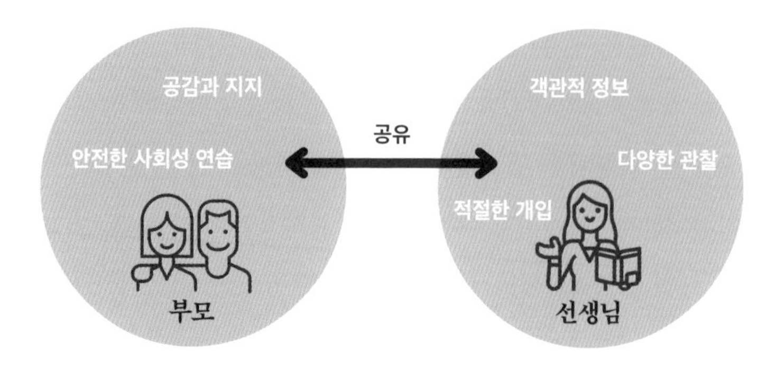

불리 부모에게 치료를 권하지 않습니다. 여러 번 아이를 관찰하고 또 고민하며 큰 부담을 느끼며 부모에게 이야기하는 경우가 대부분입니다. 선생님 의견이 언제나 맞는 것은 아닐 수 있지만, 선생님은 부모가 볼 수 없는 다양한 상황에서 아이를 지속해서 관찰할 수 있는 유일한 사람임은 틀림없습니다.

제가 상담한 아이 중에도 선생님의 권유로 아동심리 센터에 찾아온 경우가 있었습니다. 그 아이는 자신이 이해하는 것에 비해 표현할 수 있는 언어가 적었고, 이에 따라 또래 관계에서 의사 표현과 놀이 진행에 어려움이 시작되는 단계였죠. 다행히 늦지 않게 언어 · 놀이 치료를 병행할 수 있었고, 아이는 눈에 띄게 좋아졌습니다. 무엇보다 언어 발달이 정상 수준으로 이뤄지면서 자신감과 주도성을 갖게 되었습니다. 언어 발달은 그 자체로서만 어려움을 주는 것이 아니라 아이가 또래 관계에서 어떻게 자리를 잡고 적절한 반응을 하며 상호작용을 하는가에 영향을 주게 되지요. 그래서 선생님이 부모에게 전달해주는 정보와 권유를 귀담아듣고 관찰하며 반영해보는 것이 중요합니다.

사례 1 "나만 친구가 없어. 아무도 나랑 안 놀아줘." 아이의 말에 마음이 아파요.

"여섯 살인 아이가 올해 들어 '유치원에 가기 싫다'는 말을 자주 합니다. '나만 친구가 없어. 심심해'라는 말도 종종 하고요. 유치원 학부모 참여 수업에 가보니 실제로 아이가 혼자 있더라고요. 외로워보여 마음이 아팠습니다. 아무래도 어떻게 친구와 친해져야 할지 몰라서 주저하는 것 같아요. 선생님께 '아이가 친구와 친하게 지낼 수 있게 도와달라'고 말씀드리고 싶지만, 너무 과한 부탁인가 싶어서 망설여져요. 어떻게 하면 좋을까요?"

아이보다 엄마 감정이 앞서면 안 됩니다.

앞서 나온 사연을 보도록 하겠습니다.

때로 아이가 실제로 인지하고 느끼는 것보다 부모의 생각과 느낌이 앞설 때가 있습니다. 아이의 상황과 감정을 부모가 먼저 결정해버리면 아이는 부모의 속도를 따라가지 못하는 경우가 종종 있습니다.

어떤 경우에는 부모가 예상한 감정이 아닐 수도 있습니다. 예를 들어 부모는 아이가 끌려가고 불편해한다고 느꼈지만, 아이는 크게 신경 쓰지 않을 수도 있습니다. 그래서 아이가 이 상황을 어떻게 받아들이고 느끼는지 질문하는 것이 필요합니다. “아까 친구들이랑 유치원에서 노는 것을 엄마/아빠가 봤는데, 혹시 불편한 것이 있었어? 재미있었어?”와 같은 부드러운 질문으로 아이의 생각을 여러 차례 확인해보세요. 만약 아이가 “친구들이 나랑 안 놀아줘서 속상해”라고 직접적으로 표현한 경우라면 “친구들이 어떻게 해서 속상했어?”라고 보다 구체적인 상황을 확인하는 단계로 넘어가면 됩니다.

또래 관계에 대한 고민을 선생님과 공유하세요.

아이와 대화를 통해 확인한 문제가 있다면 선생님과 의논할 기회를 만드는 것이 좋습니다. 알림장 등을 통해 전달하거나, 전화 통화 또는 대면 상담을 요청할 수 있습니다. 선생님과 의논할 때 우선 목표는 아이의 상황을 공유하고, 부모가 닿을 수 없는 부분에 대한 정보를 요청하는 것입니다. “선생님, 아이가 종종 친구들이 안 놀아줘서 속상하다고 이야기합니다. 아이랑 이야기를 좀 더 나누어보니 이러한 상황이 있었던 것 같아요. 아이들끼리 놀다 보면 여러 가지 일이 많을 수 있다는 것을 잘 알지만, 혹시 아이가 또래 관계에서 특별한 어려움이 있는데 제가 모르고 있는 것은 아닌지 걱정이 되어 도움을 요청드립니다. 선생님이 보시기에는 아이의 또래 관계가 어떠한가요?" 라고 이야기를 시작하면 좋습니다. 만약 선생님이 미처 파악하지 못한 부분이라면, "혹시 살펴봐주시고 다른 부분이 관찰되면 알려주세요"라고 관찰을 요청드릴 수 있습니다.

가정과 기관에서 경험이 이어질 수 있게 도와주세요.

마지막으로 파악된 구체적인 정보, 상황이 있다면 선생님의 도움을 보다 적극적으로 요청할 수 있습니다. 이때 가정에서는 부모로서 아이의 또래 관계를 위해 어떤 노력을 하고 있는지 덧붙이면 좋습니다. "가정에서는 아이가 다른 특정 친구들과 놀이하는 기회를 더 자주 갖도록 도와주고 있어요." "가정에서는 아이가 좀 더 규칙을 지키고 친구에게 적절한 말을 하도록 연습시키고 있어요."

또한 "아이가 혜진이에게 너무 거친 말로 거절을 당할 때, 자기 의견을 표현하고 서로 사과하고 사과받는 경험을 하도록 도와주실 수 있을까요?", "아이가 가람이에게만 너무 몰두하는 것 같아서, 다른 아이들과도 게임이나 놀이할 때 짝을 이룰 수 있는 기회를 주실 수 있을까요?"라고 구체적인 의견과 도움을 요청해보는 것도 좋습니다.

기관을 통해 아이는 첫 번째 사회생활을 시작합니다. 모든 것이 아이 중심으로 돌아갔던 가정과 달리 모두가 주인공이던 아이들이 처음 만나 부딪치다 보니 미숙한 것이 당연하죠. 아이의 상황을 지레짐작하며 걱정하지 말고 선생님과 적극적으로 협력하세요. 양육자의 노력과 교사의 관찰이 더해지면 아이의 사회성 문제를 더욱 수월하게 해결할 수 있습니다. 교사는 아이가 또래 관계에서 문제 상황을 맞닥뜨렸을 때 가장 가까이에서, 제일 빠르게, 보다 객관적으로 대처할 수 있는 사람이니까요.

사례 2 "영순이가 나를 괴롭혀."

"아이 반에 유독 거친 아이가 있습니다. 다른 아이들에게도 공격적인 행동을 하지만 우리 아이에게는 좀 더 심한 것 같아요. 아이가 마음이 약하고 잘 받아주는 성향이라는 것을 그 아이도 아는 것 같습니다. 선생님과 이야기도 나누었는데, 그 아이가 상담도 받고 있으니 조금만 기다려달라고 합니다. 물론 다른 집 아이도 귀하고 선생님 입장도 이해가 되지만, 자꾸 우리 아이와 짝을 지어주어 챙기도록 하는 것 같아 마음이 불편합니다. 제가 너무 이기적인 걸까요?"

우리 아이에게도 꼭 필요한 경험입니다.

아이가 거친 친구에게 양보하고 참는 모습을 보고 어떤 부모가 마음이 괜찮을 수 있겠어요? 불편한 마음, 걱정되는 마음이 드는 것이 당연합니다. 또한 선생님이 도움과 배려를 요청한다고 해서 무조건 내 아이에게 그것을 강요할 필요도 없습니다.

다만 아이에게 생긴 이 상황에 대해 부모가 조금 다른 관점으로 바라보는 것은 중요합니다. 아이는 앞으로 성장하면서 정말 다양한 사람들을 만나게 될 것입니다. 그 중에는 아이와 잘 안 맞는 사람, 아이에게 함부로 대하는 사람도 포함이 되지요. 아이가 좋은 경험만 하길 바라는 것은 부모로서 당연히 가질 수 있는 마음이지만 현실적으로는 불가능합니다. 그래서 아이가 다양한 또래와의 경험을 하는 것은 무조건 나쁘다고만 볼 수는 없습니다. 부모나 선생님이 아이에게 도움을 주고 개입할 수 있을 때, 적절한 경험을 하는 것은 연습의 과정이 될 수 있지요. 왜 우리 아이가 이런 친구를 만났을까? 왜 이런 경험을 해야 하는 걸까? 라는 관점에서 조금 벗어나, 아이에게

'잘 가르치고 경험시킬 기회'가 되었다라고 생각을 전환하는 것은 문제를 대하고 해결하는 방법을 더욱 효과적으로 바꾸어 줄 수 있습니다.

선생님에게 아이의 이타적인 행동을 칭찬하지 말라고 부탁하세요.

다만 부모님들을 상담하다 보면 이런 경우가 발생합니다. 처음에는 상대 아이도 생각해서 조금 기다려준다고 호의를 베풀었는데 끝도 없이 내 아이가 계속 양보하고 배려하는 상황이 지속될 수 있습니다. 이런 상황이 길게 늘어질수록 아이는 점점 내가 원하지 않는 것을 이야기하거나 거절할 수 없는 상황에 놓이게 되지요. 게다가 거칠게 행동하는 친구를 좀 더 잘 받아주고 참아주는 아이에게 선생님이 적극적으로 칭찬을 하기 시작하면 아이는 꼼짝없이 이 상황에 갇히고 맙니다. 물론 일반적인 경우에서는 아이가 친구에게 양보하거나 기다려주는 등 이타적인 행동을 한다면 칭찬하고 격려해줄 수 있습니다. 하지만 친구가 공격적이고 거친 행동을 하고 있음에도 불구하고, 여러 상황을 고려하여 참거나 양보하는 아이에게 부모나 선생님이 적극적인 칭찬을 보내는 것은 아이에게 매우 해롭습니다. 아이는 싫다고 말할 수 있는 권리가 원천봉쇄되고 마는 것이지요. 그래서 부모님이 선생님에게 이 부분은 명확하게 이야기를 하는 것이 좋습니다. "영순이가 상담도 받고 노력하고 있다고 하니 조금 기다려보겠습니다. 하지만 영순이의 행동이 지나치다면 선생님이 꼭 중재하고 저희 아이가 사과를 요청하고 받을 수 있게 해주셨으면 합니다", "아이가 영순이를 배려하거나 참고 도와주는 것에 대해 착한 아이라고 칭찬하지 말아주시길 부탁드립니다. 아이가 자기 표현 하는 것을 어려워하기에 제가 이 부분이 많이 걱정됩니다"라고 요청하시길 권합니다.

선생님을 든든한 내 편으로 만들기

아이의 사회성은 가정에서 부모만의 노력으로 다 알고 개입할 수 없기에 기관과 선생님의 도움이 필요한 순간이 많습니다. 그럴 때 작은 언어 표현 하나가 문제를 해결하거나 아이를 이해하는 데 도움이 되기도 하고 오히려 문제를 크게 만들게 하기도 하지요. 아이의 또래 관계나 사회성, 기관 생활에 대해 선생님과 소통할 때는 다음의 부분을 유의하고 적용하면 좋습니다.

1. 아이의 말을 다 믿지 마세요.

아이에게 어떤 이야기를 들었다면 바로 선생님에게 물어보기보다는 아이의 이야기를 다양하게 충분히 들어보며 객관적 사실을 파악하는 것이 좋습니다. 아이들은 순간의 경험과 감정을 자신의 입장에서만 해석하여 이야기를 하는 경우가 종종 있습니다. 예를 들어 "엄마! 선생님이 나만 미워해!"라고 이야기 한다면 성급하게 선생님에게 따져 묻기보다는 '무슨 일이 있었는지', '언제 그런 마음이 들었는지' 아이에게 질문하고, "또 그런 마음이 드는 날에 엄마/아빠에게 다시 이야기 해줘!" 라고 답하며, 몇 번 더 아이의 이야기를 듣는 기회를 마련해주세요.

2. 선생님께 따지려는 게 아닙니다.

직접적으로 "선생님이 아이가 이렇게 말하던데 사실인가요?", "아이에게 이렇게 하셨나요?"라고 따져묻게 되면 선생님도 본능적으로 방어를 하고 마음이 먼저 상해버릴 수 있습니다. 아직은 확인 단계이므로 "아이로부터 듣기로는…". "아이가…라고 말하는 것을 들었는데"로 부드럽게 시작하는 것이 좋습니다. "제가 아이로부터 친구들이 자신만 빼고 따돌린다는 이야기를 들었습니다. 혹시나 하는 마음에 걱정이 되어 선생님께 여쭈고자 메시지 드립니다"와 같이 부모가 들은 내용과 염려되는 마음을 중심으로 이야기를 시작하는 것이 좋습니다.

3. 먼저 선생님의 도움을 요청하세요.

결국 문제를 해결하고 아이를 돕기 위함이므로, '도움을 요청하는 방식'으로 선생님과 대화를 나누는 것이 좋습니다. 정말 심각한 문제가 아니라면 선생님과 협력하는 것이 결국 아이에게 가장 도움이 되기 때문입니다. 특히 어린이집이나 유치원을 다니는 취학 전 연령인 경우 아이들 간에 의도치 않은 문제가 종종 발생합니다. 말보다 행동이 앞서기도 하고, 꼬집거나 밀거나 때리는 아이들도 무척 많습니다. 그래서 "내 아이 안 봐주시고 뭐했냐?"와 같은 태도보다는 "아이가 자꾸 꼬집히고 와서 속상하고 걱정이 되어 도움을 요청합니다", "기관에서 구체적인 도움을 주셨으면 합니다"와 같은 방식으로 대화를 진행하는 것이 좋습니다.

---

4. 평소 부모의 할 일은 제때 합니다.

무엇보다 부모로서 해야 하는 기본을 잘 챙기는 것이 중요합니다. 특별한 일이 없다면 되도록 등원과 하원을 규칙적으로 할 수 있게 신경 써주세요. 아이도 자신의 하루가 어느 정도 예측이 되어야 안정감을 느끼고 기관 생활에 더 깊이 집중할 수 있습니다. 또한 알림장을 확인하거나 필요한 서류를 회신하는 것을 놓치지 않도록 주의하세요. 선생님이 처리 해야 하는 기본적인 일에 잘 협조해야, 부모가 아이에 대해 선생님에게 도움을 요청할 때 더 많은 도움을 받을 수 있습니다.

5. 가정에서 먼저 연습을 해볼까요?

기관 생활 그리고 선생님은 아이의 사회성 발달을 가까이에서 도울 수 있습니다. 하지만 여전히 아이에게 가장 기본적이고 중요한 첫 사회는 가정이며 부모와의 관계입니다. 아이가 가정에서 안정감을 느끼지 못한다면 아무리 기관에서 선생님이 신경을 써도 아이의 사회성이 잘 발달하기 어렵습니다. 가정이 해야 하는 역할을 기관과 선생님에게 무조건 요청하지 않도록 주의해주세요. 아이의 감정에 공감하고 위로하기, 아이에게 주어진 사회성 과제를 연습하기 등은 가정에서 충분히 이루어져야 합니다.

---

6. 차츰 아이가 선생님과 직접 소통하게 도와주세요.

아이가 선생님과 맺는 관계도 사회성의 한 부분입니다. 아주 어린 연령이라면 부모가 대신 이야기를 나누고 문제를 해결해야 하는 경우가 많지만, 점차 아이가 스스로 선생님과 이야기하고 문제를 해결해가도록 도와주는 것이 좋습니다. "저도 발표 하고 싶었어요", "저는 사실 이것을 하고 싶지 않아요" 등 아이가 자신의 의견을 부모가 아닌 어른인 선생님에게 할 수 있도록 올바른 방법을 알려주고 지지해주세요.

08

부모의 사회적 민감성에 대한 제언

엄마가 모임에 나가지 않아서 아이가 친구를 못 사귀는 걸까?

"저는 모임을 즐기지 않는 편이에요. 사람들과 두루두루 잘 지내지만, 혼자 보내는 시간이 좋아요. 아이가 유치원에 들어가면서 마음을 바꾸려고 애쓰고 있어요. 얼마 전 학부모 참관 수업 때 만난 엄마들과 연락처를 공유했는데, 다 함께 모여서 키즈카페에 가자, 시간 정해 놀이터에서 놀리자는 등의 연락이 자꾸 와서 곤란합니다. 저는 거기 갈 생각만 해도 피곤한데, 안 가면 제 아이만 소외당할 것 같아요. 생일 파티 초대도 못 받고… 친구 사귀기도 어렵고 그럴까 봐 제 성격을 바꾸려는데 힘들어요."

부모의 사회성이 아이 사회성에 영향을 미칠까?

부모가 되고 나면 이전과는 전혀 다른 인간관계를 경험합니다. 대표적인 것이 '아이 친구 부모 모임'이죠. 등원 후 자연스럽게 가게 되는 까페에서 수다 모임, 아이들끼리 놀게 하기 위해 키즈카페나 체험 수업을 신청하며 만들어진 모임 등, 부모의 성향과는 상관없이 아이를 통해 만들어지고 유지되는 관계들입니다. 어떤 부모님에게는 이런 모임이 숨통 트이는 시간이 될 수 있지만, 어느 누군가에게는 굉장히 괴로운 상황이 될 수 있습니다. 성격이 내향적이거나, 가벼운 모임을 좋아하지 않거나, 때로는 사람에게 너무 많은 에너지를 쓰기 때문에 지치는 것 등 다양한 이유로 학부모 모임을 어려워하는 부모들이 꽤 많지요. 이런 분들은 자신의 이런 성향으로 인해 아이에게 또래와 놀 기회를 많이 주지 못하고, 결국 사회성 발달에 좋지 않을 것 같다는 걱정을 많이 합니다.

정말 아이의 사회성 발달은 부모의 사교적인 성향과 연관이 있을까요? 또래와 놀 기회를 덜 얻게 되면 사회성에 문제가 생길까요? 사회성 발달에는 여러 가지 요인이 복합적으로 영향을 미치기 때문에 "그렇다", "아니다"라고 잘라서 답하긴 어렵습니다.

아이가 어린이집이나 유치원 외에 다양한 상황에서 또래를 만나 어울리는 경험이 아이의 사회성 연습에 도움이 되는 것은 사실입니다. 하지만 그렇다고 해서 반드시 누군가를 만나 시간을 보내야 사회성이 발달하는 것은 아닙니다.

하지만 양육자의 기질적, 성격적 특징이 아이 발달에 영향을 미치는 것도 사실입니다.

단순히 '부모가 학부모 모임에 얼마나 나가는가?', '아이에게 또래 경험 기회가 얼마나 있는가?' 이것이 문제가 아니라, 이런 행동 결과를 가져오는 양육자들의 '부모의 성격특성'이 아이의 사회성 발달에 긍정적이든 부정적이든 영향을 미치는 것이지요.

아이의 사회적 민감성을 기준으로 사회성 발달을 이야기했던 것처럼 학부모 모임에서는 양육자의 사회적 민감성에 따라 영향도 다르게 나타납니다. 아이와 나의 사회적 민감성이 얼마나 차이가 나는지에 따라 주의할 점도 달라집니다. 자, 살펴볼까요?

1. 부모의 사회적 민감성이 높은 경우

사회적 민감성이 높으면 다른 사람과 친밀한 관계를 맺고 소속감을 느끼면서 만족감을 얻습니다. 대개 감수성이 풍부하

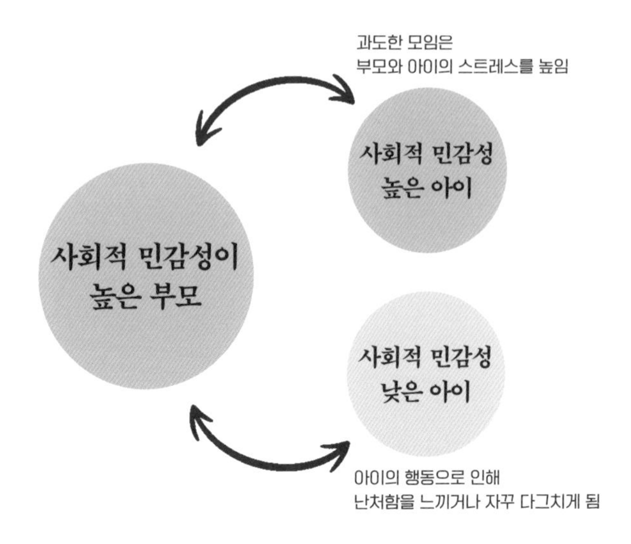

고 감정 표현도 능숙합니다. 다른 사람의 마음을 잘 파악하기 때문에 모임에서 인기가 많습니다. 자녀의 욕구와 감정에도 민감하게 반응합니다. 아이에게 다정하게 대하며 불편함도 잘 해결해줍니다. 아이와 밀착된 관계를 맺으며 안정감을 느끼고 그러한 관계를 잘 유지하고 싶은 마음도 크기에 '관계'에 대한 신경을 굉장히 많이 쓰는 편입니다.

한편으로는 이러한 특성이 단점이 되기도 합니다. 아이뿐만 아니라 모든 관계에 대한 높은 관심과 민감함을 가지고 있기에 때로는 모든 사람에게 다 잘해주고 나면 정작 부모 자신의 마음을 잘 돌보지 못하거나 자신의 것은 늘 뒷전이 돼버리는 상황이 발생하기 때문입니다. 이러다 스트레스가 쌓이고 쌓여 자신도 모르게 아이나 주변 사람에게 터져버리면 자책감도 크게 느끼곤 합니다. 더불어 어떤 부모는 아이에게 마땅히 가르쳐야 하는 부분에 대해 단호하게 훈육하는 것을 어려워하기도 합니다. 아이가 상처받거나, 아이와의 관계가 나빠지는 것을 지나치게 걱정하기 때문이지요.

① 양육자와 아이 모두 사회적 민감성이 높다면

또래 모임, 학부모 모임에 너무 많이 나가는 것은 사회성을 발달시키기보다는 피로감만 높일 수 있습니다. 양육자와 아이는 모두 다른 사람의 감정이나 욕구에 민감하다 보니, 양육자는 아이에게 친구들과 문제없이 사이좋게 지내기를 자꾸 권하게 되고 문제가 생기더라도 우리 아이가 잠시 양보하거나 기다리도록 권할 가능성이 높습니다.

아이 또한 자신이 원하는 것이 분명히 있지만 또래와의 말썽을 피하고 양보하려고 하거나, 또는 양보하고 싶지 않지만, 부모의 난처함과 간절함을 느끼고 고려하여 참는 경우가 자주 발생합니다. 부모와 아이 둘이 있을 때는 크게 문제가 되지 않는데, 다른 사람들과 함께하는 모임에서는 마음껏 놀게 하지 못하거나, 괜히 아이를 다그치게 되는 것이지요.

그러니 또래 만남은 적당히 갖고, 부모와의 놀이에서 주도성 있게 끌고 나가고 편안하게 표현할 수 있는 충분한 시간을 갖는 것이 사회성 발달에 도움이 될 수 있습니다.

② 양육자는 사회적 민감성이 높고, 아이는 낮다면

부모는 또래와 놀이하는 모임에서 상대방 아이, 다른 학부모들과 관계를 맺고 상황을 살피느라 잔뜩 민감한데 아이는 친구의 입장을 고려하기보다는 자기 뜻대로 하고 싶어 자기가 원하는 것에만 몰두하기도 합니다. 아이들 간에는 충분히 "내 것!", "네 것!" 하면서 싸우고 울고불고할 수 있는 상황임에도 불구하고, 사회적 민감성이 높은 부모는 이런 상황이 너무 불편하게 느껴집니다. 아이가 다른 친구에게 상처주는 것 같고 이기적인 것 같아서 걱정스럽고 아이를 자꾸 다그치게 되지요.

이런 상황이 스트레스인 아이가 모임을 거부하면 그 또한 걱정되어 또래와의 만남을 자주 갖고자 노력하며 아이를 가르치기 위해 애씁니다. 물론 여러 놀이 상황에서 또래의 입장을 헤아리고 적절한 양보와 기다림을 배우는 것, 함께 놀기를 경험하는 것은 필요합니다. 하지만 사회성이 미숙한 아이들이 흔히 보일 수 있는 사소한 갈등에 너무 민감하게 반응하여 아

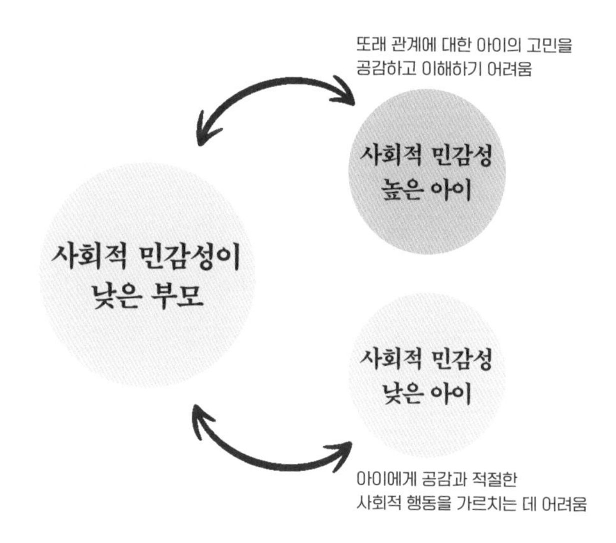

이를 다그치거나, 불필요하게 많은 만남을 주는 것은 오히려 아이의 사회성 발달을 방해하는 결과를 가져오기도 합니다.

2. 부모의 사회적 민감성이 낮은 경우

사회적 민감성이 낮은 양육자도 있습니다. 다른 사람과 친밀한 관계를 맺고 소속되는 것에 대한 욕구가 크지 않고, 독립적으로 행동하는 것을 좋아합니다. 대부분 이성적이고 자신의 감정을 잘 드러내지 않아요. 타인과 적절한 거리를 유지하는 것을 선호하죠. 앞서 살펴본 고민처럼 아이를 낳기 전까진 대인관계에 대해 큰 고민을 하지 않는 경우가 많아요. 하지만 양육자가 되고 나서 아이를 위해 유지해야 하는 인간관계 때문에 피곤함을 느끼거나 아이에게 불이익이 가진 않을까 걱정하곤 합니다.

하지만 이런 고민과는 별개로, 사회적 민감성이 낮은 부모가 갖는 장점이 정말 많습니다. 아이에게 더 이성적으로 문제에 접근하고 사고하고 판단하는 모습을 자주 보여줄 수 있고, 무언가에 휘둘리지 않고 자신의 감정이나 욕구를 정확하게 표현하는 것을 가르치는 데도 유리하지요. 또한 자신의 독립성이 중요하듯 아이가 보이는 독립적인 행동에 대해서도 존중하는 태도를 보입니다. 잘못된 행동에 대해 분명하게 훈육하며 아이를 가르치는 일도 좀 더 잘할 수 있습니다.

다만 이러한 특성으로 인해 아직 감정조절에 서툰 아이가 보여주는 감정 표현에 당황스러워하는 경우가 많으며, 24시간 언제나 부모를 필요로 하는 육아 상황 때문에 양육 스트레스도 좀 더 높을 수 있습니다. '나는 왜 부모인데, 아이에게서 떨어져서 쉬고 싶지? 내가 너무 모성/부성이 없나?'라고 고민을 털어놓는 부모님도 꽤 많지요.

① 양육자는 사회적 민감성이 낮고, 아이는 높다면

부모는 사회적 민감성이 낮지만 아이는 반대로 높은 편이라면, 모성/부성에 대한 고민과 죄책감을 느끼게 되는 경우가 많습니다. 아이는 끊임없이 양육자와 접촉하길 원합니다. 신체 일부를 만지거나 곁에서 함께 시간을 보내고 싶어 하죠. 사회적 민감성이 높은 아이는 부모가 나를 만져주고 봐주고 함께 해주는 것이 가장 만족감을 주니까요.

그에 반해 사회적 민감성이 낮은 양육자에게 아이의 이러한 특성은 스트레스가 됩니다. 나만의 시간과 공간을 확보하지 못하는 게 고통스러운 동시에 이런 감정을 느끼는 자신의 모성/부성을 의심하게 되기도 하고요.

사회적 민감성이 높은 아이는 본격적으로 사회성 발달이 시작되면서 점점 또래 관계에 대한 욕구도 높아지고 친구와 친밀한 관계를 유지하는 것에 민감한데, 반대의 특성을 가진 부모에게 아이의 이런 특성은 잘 이해되지 않기도 합니다. 아이가 갖고 있는 또래 관계에 대한 고민이, 부모에게는 전혀 심각하게 느껴지지 않기에 공감하며 대화하기가 어렵고 아이에게 적절한 가르침을 주는 것도 어렵게 느껴집니다. 하지만 사회성 발달을 하고 있는 연령의 아이, 그리고 특히 사회적 민감성이 높은 아이에게 있어 '친구'란 부모가 생각하는 것보다 훨씬 더 크고 중요한 의미를 가지고 있습니다. 아이와 나의 특성 차이를 인지하고, 보다 아이의 입장에서 상황을 그려보면서, 아이에게 무엇이 가장 힘든지, 그리고 어떻게 행동하기 원하는지를 물어보고 공감해줄 필요가 있습니다.

② 양육자와 아이 모두 사회적 민감성이 낮다면

양육자와 아이 모두 사회적 민감성이 낮은 편이라면, 양쪽 모두 타인에게 의존하기보다는 독립적인 특성을 가지고 있습니다. 서로 영역을 침범하지 않는 게 자연스럽기 때문에 사춘기에도 크게 부딪힐 일이 없는 편이에요. 다른 사람에게 영향을 받거나 누군가에 휘둘려서 의사결정을 하는 일도 거의 없죠.

반면에 아이가 반드시 배워야 하는 공감이나 적절한 사회적 행동을 연습할 기회가 적을 수 있습니다. 어떤 상황이 발생했을 때 아이가 상대방 입장과 감정을 고려해 적절한 행동을 할 수 있도록 알려줘야 하는데 양육자 자체가 그 상황에 대한 민감함이 부족해서 파악이 잘 되지 않거나, 무엇을 가르쳐줘야 하는지 구체적인 내용을 모를 수 있습니다.

더불어 다른 학부모, 또래와 지속적인 만남을 하는 상황을 양육자와 아이 모두 그리 원하지 않기 때문에 의식해서 노력하지 않으면 밖에서 친구를 만날 기회가 매우 적습니다. 억지로 스트레스를 받아가며 너무 많은 만남을 가질 필요는 없지만, 사회성 발달을 위해 아이가 또래 관계 경험을 조금 더 가지고 연습할 수 있도록 가장 부담이 없는 모임 정도는 함께해 보는 것이 좋습니다.

모든 사람마다 적절한 '거리'가 다르다

이처럼 아이의 또래 관계를 위한 학부모 모임은 반드시 '많이 해야 한다 vs 필요 없다'로 나뉠 수 있는 부분이 아닙니다. 양육자가 사회적 관계에 대한 어떤 특성을 가지고 있는지, 그리고 양육자와 아이의 특성이 어떤 공통점 또는 차이점을 가지고 있는지에 따라 '노력해야 하는 정도와 방향'이 다릅니다.

단적인 예로 부모와 아이가 모두 사회적 민감성이 너무 높다면, 너무 잦은 모임과 또래 관계는 스트레스가 되고 오히려 아이에게 눈치 보고 혼나는 시간이 될 수 있습니다. 반대로 부모와 아이가 모두 사회적 민감성이 너무 낮다면, 조금 스트레스가 있더라도 아이의 사회성 발달을 위해 어느 정도의 모임에는 의식적으로 노력하여 참여하는 것이 필요하지요. 대인관계에 대한 욕구와 민감함, 영향을 받는 정도는 양육자와 아이뿐만 아니라 세상 모든 사람이 다 다릅니다. 그렇기에 다른 사람과 편안하게 맺을 수 있는 거리 또한 각각 다릅니다.

양육자인 우리는 자신의 특성을 먼저 이해하고 내가 가장 타인과 편안한 관계를 맺을 수 있는 거리가 어느 정도인지 알아야 합니다. 그래야 나와 아이의 관계에서 아이가 필요로 하는 거리에 따라 때로는 맞춰주고 때로는 사회성 발달을 도와주며 함께 성장해갈 수 있습니다. 아이의 사회성 발달을 고민하는 과정을 통해 아이뿐만 아니라 부모 또한 자기 자신을 이해하고 발달시키는 기회가 되길 바랍니다.

다랑쌤의 솔루션

사례 1 "부모 모임에 아이가 몇 살까지 나가야 하나요?"

"저는 부모들 모임에 나가는 것이 무섭습니다. 첫째아이 때는 모임에 안 나가면 생일 파티 초대도 받기 힘들다고 하고, 아이가 축구 모임에도 낄 수 없다는 선배들의 말에 걱정이 되었어요. 육아와 교육 정보를 얻을 데가 없어서 모임에 열심히 나갔는데, 어느 해인가 모임에서 싸움이 났어요. 저를 오해한 사람이 제게 소리를 지르기도 하고 있지도 않은 일을 두고 뒷얘기가 많이 돌아서 모임에 발을 딱 끊었습니다. 그런데 둘째는 '엄마, 친구들이 주말에 다같이 키즈카페 간대. 왜 우리는 키즈카페에 안 가? 나도 친구들이랑 가고 싶어!'라며 참석하기를 요구합니다. 저는 평일 모임에 나가기가 두려워 워킹맘이라고 거짓말을 할까 싶기도 합니다. 저 때문에 우는 아이를 보면 마음이 아파요."

부모가 자신의 특성을 먼저 이해하고 수용해야 합니다.

부모가 학부모 모임을 즐겨하지 않는다고 해서 아이의 사회성 발달에 무조건 나쁜 영향을 주는 것은 아닙니다. 부모는 이렇게 해야 한다, 아이를 위해서 싫은 모임도 나가며 노력해야 한다는 다른 사람들의 말에 갇힐 필요는 없습니다. 사교적이고 친밀한 대인관계를 좋아하는 부모도 있고, 타인에게 민감하지 않으며 독립적인 특성을 가진 부모도 있습니다. 모임을 좋아하는 사람도 있고 싫어하는 사람도 있습니다. 어떤 부모이든 아이의 발달에 좋은 영향과 보완해야 할 부분을 모두 가지고 있다는 것을 꼭 기억해주세요.

부모와 아이의 사회적 민감성 차이를 파악하세요.

그런데 부모인 나의 특성도 중요하지만, 아이가 다른 사람과의 관계에 대한 욕구가 얼마나 많은지 그리고 다른 사람으로부터 영향을 받는 정도가 어떠한지를 잘 파악해볼 필요가 있습니다. 부모와 아이의 특성은 똑같다고 해서 좋거나 다르다고 해서 나쁜 것이 아닙니다. 그보다는 아이의 특성에 따라 사회성에서 연습하고 보완해야 하는 과제가 무엇인지 파악하고 부모가 자신의 특성 내에서 노력할 수 있는 최선을 다하는 정도가 좋습니다. 예를 들어 부모는 사회적 민감성이 낮지만 아이는 다른 사람과의 관계 맺음을 좋아하고 민감한 편이라면, 모임은 못 가더라도 양육자와 집중해서 놀이하는 밀도 있는 시간을 늘려볼 수 있습니다.

모임을 사회성 연습의 기회로 삼아보세요.

양육자가 학부모 모임을 좋아하지 않는다고 해서 아이에게 꼭 나쁜 영향을 주는 것은 아니지만 만약 아이가 원하거나, 또는 아이에게 그러한 또래 관계가 적절히 필요하다고 판단된다면 일정한 횟수나 주기를 정해서 '배움'과 '연습'이라고 생각하고 참여하는 쪽으로 노력해볼 수 있습니다. 이는 아이에게도 사회성을 경험하는 기회가 되고, 부모의 삶에도 적절한 성장의 기회가 되기 때문입니다. 어떤 경우이든 주변의 말보다 우리 아이와 나와의 관계에 먼저 집중하시기 바랍니다. 파이팅입니다!

사례 2 "부모 모임에 시간을 너무 많이 쓰고 있어요."

"아이를 어린이집에 등원시키고 나면 자연스럽게 엄마들이 커피 한잔씩 마시자며 모이게 됩니다. 저는 사람들과 어울리는 것을 좋아하는 편이라, 특별히 불편하지는 않았는데 점점 제 시간이 없어지는 것 같아서 지칩니다. 아이들 교육 이야기를 하다 보면 은근히 스트레스도 받고, 집에 오면 하원 전까지 시간이 별로 없어 허둥지둥 살림을 하다 보니 막상 아이들이 돌아올 때는 녹초가 되어버립니다. 자꾸 반복되다 보니 이게 맞나 싶기도 하면서, 그렇다고 갑자기 빠져버릴 수도 없구요. 어떻게 하면 좋을까요?"

아주 조금씩 분리된 시간을 가져보세요.

아무리 학부모 모임을 좋아하는 사람이라고 해도, 매일 사람들과 시간을 보내야 한다면 심리적으로 피곤함을 느낄 수 밖에 없습니다. 정도의 차이가 있는 것뿐이지 모든 사람은 자기만의 숨을 고르는 쉼의 시간이 필요하기 때문이에요. 그런데 종종 내가 다른 사람들과 함께하며 어느 정도 에너지를 뺏기는지, 또 나에게 최소 얼마만큼의 독립적인 시간이 필요한지를 잘 모르고 있는 부모님들이 있습니다. 이런 경우 '특별히 불편하거나 많이 힘들지는 않으니까…'라고 생각하면서 대인관계에서의 피로를 계속 누적시키는 일이 발생합니다. 그러다 보면 어느 날, 나의 삶이 흐트러져 있고 정리가 되지 않는다는 느낌을 가지게 되지요.

제가 상담했던 부모님 중에도 정신없이 학부모 모임에 섞여 있다가 충분한 쉼을 갖지 못하고 하원하는 아이들을 받아

저녁을 먹이고 재우는 삶을 반복하는 분이 있었습니다. 그러다 보니 작은 일에도 쉽게 스트레스를 받게 되고 아이들에게 감정이 폭발되곤 했습니다. 이 부모님은 모임을 거절하는 것을 어려워했지만, 일부러 일주일에 한 번 정도 운동을 등록함으로써 이를 계기로 부모 모임을 조금씩 조절하기 시작했습니다. 하나의 행동을 시도한 것만으로도 부모님 개인과 가족의 삶이 바뀌었답니다.

나의 영역을 잘 지키는 것도 사회성의 일부입니다.

다양한 사람들과 관계 맺고 자주 만나는 것을 좋아하지 않는 부모가 부모들의 모임에 참여하는 것만큼이나, 친밀감이 높은 부모가 '적당하게' 만남을 조절하는 것도 비슷하게 어려운 일입니다.

하지만 좋은 사회성의 개념 안에는 타인과의 경계에서 내 영역을 잘 지키는 것도 포함이 됩니다. 다른 사람들과 필요한 관계를 맺되, 지나치게 에너지가 소진되는 지점을 찾고 적절하게 분리되기 위해 거절하는 것도 중요한 사회성의 기술이지요. 부모의 이러한 모습은 아이들과의 관계에서 정서적인 안정감도 주지만, 간접적으로 자신의 심리적인 영역을 잘 관리하고 지키는 모습을 보여줄 수 있기에 큰 의미가 있답니다. 당장 큰 시도를 하지 못하더라도, 혼자 시간을 보내는 날을 정해 보거나 또는 약속이 있다고 이야기하고 몇 시간 더 일찍 자리를 떠서 정돈하고 쉬는 시간을 가진 후 하원하는 아이를 만날 것을 권합니다.

[사회적 민감성이 높은 부모]

1. 부모 모임에서 즐거움을 찾아보세요.

사회적 민감성이 높은 부모는 육아로 인한 고립감을 더 쉽게 느낄 수 있습니다. 이로 인해 우울감이나 육아 스트레스도 더욱 많이 느낄 수 있고요. 이런 경우 친밀감과 소속감을 느낄 수 있는 좋은 관계를 적극적으로 찾아보면 좋습니다. 다만 지나치게 관계에만 의존하거나 스스로를 위한 시간을 놓치지 않도록 주의하는 것이 필요합니다.

2. 부모 모임보다 나의 친구들과 하는 모임이 더 좋습니다.

가능하다면 아이로 인해 만나는 모임이 아니라, 나의 관심과 취미 등을 위해 만들어지는 모임을 선택해보세요. 요즘은 온라인이나 여러 플랫폼을 통해서 책 모임이나 취향 중심의 모임, 또는 무언가를 함께 배우는 모임을 쉽게 찾을 수 있습니다.

이런 만남은 부모가 가진 관계에 대한 욕구를 더욱 질 높게 충족시킬 수 있어요

3. 아이와 배우자는 외부 모임을 싫어할 수 있다는 걸 인정합니다.

나와 달리 배우자나 아이는 자신만의 시간과 영역을 좀 더 강력하게 원할 수 있어요. 대인관계에 대한 민감도가 훨씬 높기에 서운함이나 분노 등을 더 많이 느끼기도 하지요. 상대방과 내가 어떤 차이를 가지고 있는지 객관적으로 생각해보고 이해해볼 필요가 있습니다. 또한 함께 의논하여 함께하는 시간과 분리된 시간을 균형 있게 가져갈 수 있는 방법을 찾아보는 것도 중요합니다.

4. 다른 사람 때문에 내 아이를 잡지 마세요.

다른 사람들과 함께할 때 지나치게 눈치를 보거나 아이를 다그치는 일이 발생하지 않게 주의하세요. '상대방이 어떻게 생각할까?'라는 생각을 하거나 '상대방에게 피해를 주면 어쩌지?' 하는 걱정 때문에 아이의 행동을 과도하게 통제하기 쉽습니다.

5. 훈육한다고 아이와 관계가 나빠지지 않습니다.

아이와의 관계가 나빠질까 봐 두려워서 훈육을 정확하게 하지

못하는 경우가 많습니다. 훈육은 특정 행동을 못하게 하는 것이기 때문에 좋게 하는 방법이란 없습니다. 훈육은 부모의 중요한 의무이므로 중요한 것은 정확하게 훈육해야 한다는 점을 기억하세요!

[사회성 민감성이 낮은 부모]

1. 부모 모임에 안 나가도 괜찮습니다.

아이를 위해 부모 모임에 적극적으로 자주 참여하지 못하는 것에 대해 죄책감을 느끼지 마세요. 아이의 사회성은 여러 가지 부분을 통해 종합적으로 자라납니다. 부모 자신을 스스로 이해하고 존중하면서 하는 육아 방법이 지속가능하며 건강한 방법이라는 것을 기억해주세요.

2. 공식 모임은 가급적 참석합니다.

어색하고 힘들다는 이유로 아이에 대해 알 수 있는 기회를 놓치지 않도록 주의하세요. 학부모 상담이나 참관 수업 등은 내 아이에 대한 이해를 높일 수 있는 시간입니다. 다른 학부모들과 마주치는 것이 부담스러워서 피하게 되면 필요할 때 아이에게 적절한 도움을 주기 어려울 수 있어요.

3. 아이에게 또래 관계는 부모 생각보다 더 중요하답니다.

아이가 또래 관계에서 속상해하거나 걱정하는 것을 가볍게 여기지 않게 조심하세요. 부모의 입장에서는 중요도가 낮을 수 있지만 아이에게는 다를 수 있어요. 특히 아이는 발달 단계상 성장해나갈수록 부모보다 또래와의 관계, 소속감이 더욱 중요해집니다. 사소해 보이는 문제라 해도 아이 입장에서 한번 만 더 생각해주세요

---

4. 부모도 쉬어야 힘이 납니다.

자기 자신을 위한 독립적인 시간이 있어야 쉴 수 있고 에너지가 회복됩니다. 배우자와 협력하고 배려하면서 각자 잘 충전하고 쉴 수 있는 시간을 마련하세요. 그리고 회복된 에너지를 통해 아이와 가족에게 집중해야 할 시간을 잘 내어주세요.

---

5. 너무 차갑게 훈육하지 않도록 조심하세요.

훈육은 엄하게 하더라도, 훈육 이후에는 아이와의 관계를 빠르게 정상화시키는 것이 필요합니다. 또한 행동에 대해서는 분명하게 훈육하더라도 아이가 느끼는 감정에 대해서는 필요에 따라 공감하고 위로해주는 것이 중요합니다.

그림책으로 사회성을 배우고 연습해보세요

부모가 아이의 사회성 발달을 돕기 위해 노력하는 과정은 쉽지 않습니다. 특히 아이에게 아무리 알려줘도 실제 또래 관계에서 적절한 말과 행동을 스스로 사용하기까지는 오랜 시간이 걸리지요. 반복적으로 비슷한 상황이 발생할 때마다 구체적인 언어표현이나 행동을 알려주는 방법도 있지만, 그림책과 같이 아이가 친근하게 느끼며 쉽게 상황을 떠올려볼 수 있는 도구를 이용하는 것도 좋은 방법입니다.

아이들은 사과를 받고 사과를 하는 것을 무척 어려워합니다. 무엇이 좋은 사과 방법인지 제대로 경험해본 적이 없는 경우도 많지요. 좋은 사과는 아이가 저절로 알게 되는 것이 아니라, 방법을 잘 배우고 연습해야 할 수 있습니다. 그림책 『사과는 이렇게 하는 거야』는 아이들에게 어떤 상황에서 사과를 해

『사과는 이렇게 하는 거야』, 데이비드 라로셀 글, 마이크 우누트카 그림,
이다랑 옮김, 블루밍제이.

야 하는지 그리고 사과를 어떻게 해야 하는지 구체적이고 분명하게 알려줍니다. 특히 잘못된 사과 방법은 아이들이 재미있어할 만한 방식으로 유쾌하게 보여주지만 그만큼 아이에게 잘 기억됩니다. 그림책에 있는 표현만 그대로 사용해도 적절한 표현을 배우고 적용할 수 있습니다. 그림책을 함께 읽고 일부러 잘못된 사과를 해보기, 또는 좋은 사과 방법으로 바꾸어보기 등의 활동으로 연결해볼 수도 있습니다. 아이와 함께 즐겁게 '사과 방법'을 배워보세요. 부모가 아이에게 좋은 사과를 먼저 보여주는 것도 추천합니다.

다른 사람이 장난을 치거나 조금이라도 거칠게 이야기하면 쉽게 상처받는 아이들이 있습니다. 부모가 뒤늦게 속상한 마음을 알아주고 달래준다고 해도, 이미 그 상황은 지나가버린

『그래서 뭐』, 소니아 쿠데르 글, 그레구아르 마비레 그림, 이다랑 옮김, 제이픽.

후이지요. 이런 아이를 바라보는 부모의 마음도 답답하고 속상합니다. 그렇다고 해서 아이를 다그치는 것은 좋은 방법이 아닙니다. 그보다는 어떤 말과 행동으로 적절하게 대응할지 구체적으로 알려주는 것이 좋습니다.

그림책 『그래서 뭐?』는 거친 언어를 사용하며 친구들을 괴롭히는 상대방에게 "그래서 뭐?"라는 말을 통해 잘 대응하는 방법을 알려줍니다. "그래서 뭐?"라는 말에는 '네가 말하는 것이 나에게 영향을 미치지 않아!', '네가 뭐라고 해도 나는 나야!'라는 자기 자신에 대한 단단한 믿음이 내포되어 있지요. 길고 복잡한 표현이 아니기에 아이가 적용하기에는 더 쉽고 적절할 수 있습니다. 아이가 사용하는 말은 그 말을 듣는 아이 자신에게도 동시에 영향을 미칩니다. "그래서 뭐?"라는 말은 아이가 자기 자신을 스스로 지키고 적절하게 대응하도록 도와줄 거예요!

사회성 발달에 도움이 되는 그림책, 어떤 것이 좋을까요?

1. 그림책을 통해 다양한 특성의 인물을 경험할 수 있어야 합니다. 아이가 자신과 비슷한 인물뿐 아니라, 전혀 다른 인물을 만날 수 있다면 좋습니다. 또한 마음과 행동이 다를 수 있다는 것, 표현하지 못한 생각이 있을 수 있다는 것을 자연스럽게 경험하게 해주는 그림책이 유용합니다.

2. 글뿐만 아니라 그림을 읽을 수 있는 풍성한 책이 좋습니다. 글로 표현할 수 있는 것에는 한계가 있습니다. 아이가 그림을 통해서 숨겨진 인물을 발견하고 그들의 행동이나 변화 등을 알아차릴 수 있는 장치가 있는 그림책이 유용합니다.

3. 이야기 속에 자연스럽게 메시지가 담겨 있는 그림책이 편안합니다. 대놓고 '이럴 땐 이렇게 행동해야 해!' 라고 말하는 그림책은 아이에게 잔소리와 같이 느껴질 수 있습니다. 아이가 그림책을 읽는 과정에서 자연스럽게 핵심 메시지가 전달되는 구성이 좋습니다.

4. 아이가 직접 사용할 수 있는 쉬운 언어 표현이 있는 그림책이 유용합니다. 짧고 쉬운 표현은 아이가 기억하고 비슷한 상황에 처했을 때 꺼내어 사용하는 데 도움이 됩니다. 아이에게 유용한 언어 표현이 있는 그림책이라면 선택하여 함께 읽어보세요!

5. 무엇보다 그림책은 아이에게 즐거움을 주어야 합니다. 사회성 발달을 돕기 위한다는 이유로 책 읽는 즐거움을 훼손해서는 안 됩니다. 무엇보다 아이는 그림책을 즐겁게 볼 수 있어야 합니다. 아이가 반복하여 읽고 싶어할 만큼 좋아하는 그림과 재미있는 요소가 담겨 있는 그림책을 골라주세요!

싸우지 말라고 하지 마세요

초판 발행 2024년 4월 18일

지은이 이다랑
펴낸이 전은주
편집 도은선
마케팅 이보민 양혜림 손아영

펴낸곳 (주)제이포럼
출판등록 출판등록 2021년 6월 30일 (제2021-000006호)
주소 03832 경기도 과천시 별양로 164 711동 2303호(부림동)
전자우편 jforum1@gmail.com
전화번호 02-6949-0025
인스타그램 @jforum_official

ISBN 979-11-987104-0-6 13590